国家出版基金项目
NATIONAL PUBLICATION FOUNDATION

《三联经典文库》

第二辑

2012 年国家出版基金项目

三联经典文库
178

尼赫鲁自传

（印度）尼赫鲁著　毕来　译

生活·讀書·新知 三联书店

图书在版编目(CIP)数据

尼赫鲁自传 / (印) 尼赫鲁著；毕来译. -- 北京：生活·读书·新知三联书店, 2014.1
（三联经典文库第二辑）
ISBN 978-7-108-04596-6

Ⅰ.①尼… Ⅱ.①尼… ②毕… Ⅲ.①尼赫鲁，P.J.（1889～1964）－自传 Ⅳ.①K833.517=5

中国版本图书馆CIP数据核字(2013)第152218号

178 尼赫鲁自传

责任编辑 戴云波
封扉设计 蔡立国
责任印制 宋 家
出版发行 生活·讀書·新知 三联书店
(北京市东城区美术馆东街22号)
邮 编 100010
经 销 新华书店
印 刷 北京鹏润伟业印刷有限公司
版 次 2014年1月北京第1版 2014年1月北京第1次印刷
开 本 787毫米×1092毫米 1/32 印张 13.375
字 数 187千字
定 价 49.00元

《三联经典文库》出版缘起

适逢生活·读书·新知三联书店八十华诞，为弘扬传统，接续文脉，回报读者，服务社会，我们决定策划出版《三联经典文库》。

1932年7月，生活书店在上海创办，此后，读书出版社和新知书店相继成立。本文库第一辑、第二辑所选图书，来自于这三家出版单位及其分支机构，以及1948年生活·读书·新知三联书店成立后的出版物，始于1932年，截至1951年，两辑各一百种。此为第二辑，涉及政治、经济、社会、军事、思想文化诸领域，涵盖专著、文集、散文、小说、诗歌、传记、报道等体裁，既有直面现实、追求真理、讴歌真善美、抨击假恶丑的原创作品，又有引介世界各国先进文化、传播新知、开启民智的迻译之作，真实记录了那一代知识分子的思考与探索、理想与愿景和对中华民族文化传承与创新所做出的努力与贡献。

本文库所辑入各书，多为名家名作，在版本方面，以初版一印本或经著译编者审定、修订、增订过的版本为首选，因此本文库又具有较为珍贵的版本价值和收藏价值。

本文库还将编选续辑，使之成为恢弘文化工程。诚挚希望读者给予批评和指正，帮助我们完善编选工作，再现三联经典作品之风采。殊为遗憾的是，由于年代久远，一些原著译编者及其后人未能取得联系并奉付稿酬，诚盼版权所有者与我们联系。祈愿三联前辈所创造的精神财富能薪火相传，为中华文化的伟大复兴增光添彩。

《三联经典文库》编辑委员会

2013 年 8 月

凡　例

一、本文库为重排本，由繁体字竖排版改为简体字横排版。

一、以忠实于原作、整旧如旧为编辑原则，对当时使用的专有名词、外文译名，以及民国时期的语言和特色予以保留。

一、原书注释如旧，编者所出的注释，均以“编者注”标明，以示与原书注释的区别。

一、对原书残缺或字迹漫漶之处，以□示代。

一、对繁简文本转换时的“如右”、“见左”一类，对应改为“如上（前）”、“见下（后）”。

一、对原书中各种错讹脱衍之处，直接订正，不再以其他符号标示。

一、对数字、标点符号的用法，在不损害原文语义的情况下，做必要的规范。

一、本文库各书均前插原书书影、原书版权页和文库版“本书出版说明”。

一、本书出版说明的撰写，以客观中立为原则，扼要介绍本书的内容、版本流转、著译编者的情况。

本书出版说明

本书系印度著名政治家尼赫鲁从 1934 年 6 月到 1935 年 2 月在狱中写成。全书共四十个章节，另有一简短的“编后记”。作者从自己所受的家庭教育开始，青年时的求学，以及投入政治运动的过程，较为详细地记录了自己的所思所想和政治作为，展现了一个坚定的爱国主义者的政治理念和对印度底层人民生活状况的深切同情，包括对当时复杂的国际政治背景与环境下印度所面临的种种社会问题与政治选择的思考。其中既有对英国统治印度的功过分析，也有对印度追求民族独立的路径的深入思考与反省，还有对他与圣雄甘地的交往合作的回忆以及与家人深挚情感的描绘。

本书初版于 1946 年 6 月，由新知书店在上海、重庆印行，此次文库出版即依据此本。

译者张毕来（1914-1991），男，贵州炉山（今凯里）人。原名张启权，又名张一之（1938年加入中国共产党后改名）、张四维、张修文（1942年初，去桂林等地始改今名）。浙江大学肄业。1946年加入中国民主同盟。1942年开始发表作品。1955年加入中国作家协会。建国后，历任东北大学、东北师范大学教授兼中文系主任，华东师范大学教授，人民教育出版社中学语文编辑室主任，民盟第三届中央委员、第四至六届中央常委兼宣传部部长、学习委员会主任，中国《红楼梦》学会副会长。著有《欧洲文学史简编》、《新文学史纲》、《红学刍言》、《张毕来文选》等，译有【印度】尼赫鲁《走向自由·尼赫鲁自传》、【英】艾略特长篇小说《亚当比德》等。

生活·读书·新知三联书店

2013年8月

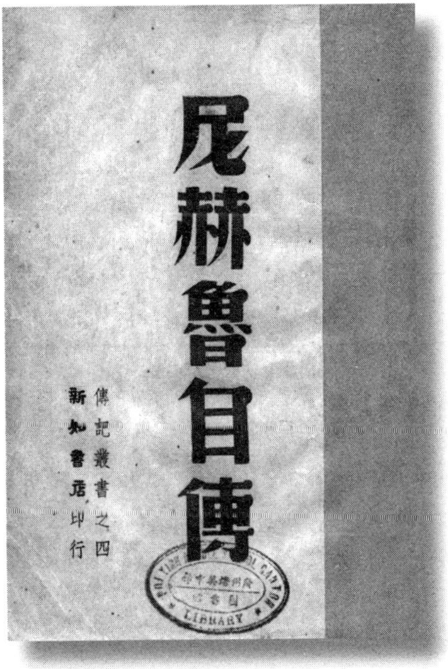

新知书店 1946 年 6 月初版书影

尼赫魯自傳

每冊實價　　元

著者　尼赫魯

譯者　畢　來

出版者　新知書店

上海・重慶

中華民國三十五年六月滬初版

原书版权页

目次

尼赫鲁

作者自序

本书除“后记”一章和某些小处修改而外，都是从一九三四年六月到一九三五年二月之间，在狱中写成的。撰写此书的最初目的，本在于借此消磨狱中的寂寞辰光，同时，把那些与我本身有关联的印度发生的过往各事，加以回忆检讨，俾使自己能对它们作清晰的考虑。在开始写的时候，系出以一种自问（Self-Questioning）的心情，而此种自问心情竟亦相当地贯彻始终。我并非居心为一群读者撰写，即使我想起一群读者，那也是我的一群男女同胞。如果是为外国读者而作，写法一定不同，所强调者亦必不同，必定要强调某些在本书内一笔而过的地方，而于本书相当详尽的所在，必定又出以简略的叙述。后者有很多方面，在非印度人的读者来看，或不感趣味而觉其无关紧要，或以为过于明显，无庸置辩；而在我，则以为它们对于今日的印度，颇为重要。书中提及的很多国内政治，以及一些个人，也许对于外国人看来会感到很少意义而引不起多大的兴趣。

我希望，读者要记着：这书是在我一生之中最最苦恼的时期中写成的，其中有着这种苦恼的明显的痕迹。如果在较为正常的环境之下撰写，其内容必与此不同，而用字亦必较为谨慎。然而，我现在亦拟任其如此。因为，它既然可以表现出我写作时候的感情，或者别人会因此感到趣味。

我的企图，是想尽其可能地回溯我自己的心理的发展情形，并不想检讨最近的印度历史。书中的记载，读去好像是在作这种检讨，容易使读者误认，因而赋予它以比它本身所应得者为多的重要性。因此之故，我要告诉读者，本书的叙述，乃完全单方面的，因而也不免是自我本位的；有很多重要的事件，完全忽略了，而很多形成各种局势的重要人物，差不多没有提及。如果是真正地检讨过往之事，这种疏忽，一定是不可原谅的，然而，一本关于私人的叙述，则敢于如此。欲对于我们印度最近的过去作深入研究的人们，则不得不另寻他途。

但是，本书以及其他别的私人记载，或亦可予以协助，补其不足，而对于一些困难事实的研究，也可以值得做为参考。

对于某些我幸能与之多年共事而且敬之爱之的同事，我曾作坦白的评论；我也批评到一些集团和个人，而且，态度是相当严厉的。然而，我倒并不因这些批评而不敬重他们。我不过觉得大凡参与于公众事业的人们，彼此之间，必然坦白，对于他们声称为之服务的公众，必须出于坦白态度而后可。一种矫揉造成的客气，或者竭力避免开罪于人，有时，避免苦恼的问题，这些，都不能使彼此之间有真正的了解，不能使吾人了解当前的问题。真正的合作，必须由彼此互相了解异同之点而来，必须不管任何不方便，要正视事实。然而，我敢于相信，书中所写，毫无对个人抱怨恨之心或怀有恶意的地方。

我曾有意的避免论及印度今日之问题，除非模糊地或间接地。我身在狱中，完全无法从事此项工作，甚至亦不能在脑筋之中，决定应作何事。甚至当我出狱之后，也觉得不宜对此一题目，加上任何意见。因为，这样做，似乎与我业已撰就的内容，颇不适合之故。于是乎，这些“自传性质的叙述”，结果仍是关于过去的、概略的、不完全的私人记载而已。虽已接近于目前，而仍小心的避免它，未与它发生接触。

尼赫鲁一九三六·一·二于巴登惠勒尔

一　我的父亲莫蒂拉尔·尼赫鲁

大凡富家独子，易于被误，此在印度为尤甚，如果他碰巧在其有生以后十一年之久仍为独子，则被误一事，几乎是无可避免。我的两个妹妹，年纪都比我小了很多，第一个是在我十一岁的时候才出世。因此，我童年的初期，是十分寂寞的。甚至连学校同龄伴侣也不曾有过，因为我这段时期的教育，家里是把它托付与保姆和家庭教师去了，不曾走入幼稚园或小学校的门槛。

不过，我们所居住的房子，却远非寂寞所在。照着印度的俗习，这一所房子里，住了很多的家族。我的好几位堂哥哥都和我们住在一块。可是，这仍无补于我的寂寞；因为他们年纪都比我大了许多，并且都是高等学堂或大学校里的学生。我太小了，够不到和他们攀谈。所以，我只好独自游戏，或者把时间化费在冥想之中。

我们一族都是喀什米尔人（Kashmiris）。大约在两百年以前，还是十八世纪的时候，我们的祖先由那高原地带迁到沃野千里的平原地带来。这正当蒙哥尔王朝[1]（Moghal Empire）衰颓之年。这位祖先名叫拉吉·高尔（Qoj Koul）。他是一位有声望的波斯文和梵文学者，甚为当时的皇帝所器重。大约即以此之故，我们一族人，即于一七一六年左右，移居皇城德里（Delhi），还得到一份封地，包括一座在一条运河上的住宅。所以，“尼赫鲁”（Nehru 一字，系由 Nahar 一字而来，Nahar 之意为运河）一字，便和这位祖先的名字连在一起，成为他的姓名的一部分，“高尔”为族名。后来，“高尔”一字渐渐取消，我们便单叫“尼赫鲁”了。

由喀什米尔移到德里以后，这族人几经盛衰，结果那份封地用尽。后来又遇到了一八五七年的大暴动[2]，合族人便离开了德里。这时，正是我的祖父时代，父亲还没有出世。不过，我的两位伯父却已成人。受了此次

[1] 即蒙古人在印度的统治。成吉思汗约在纪元后十四世纪侵入印度。十八世纪中叶即已开始衰颓。

[2] 此次大暴动，乃印度在十九世纪的一次民族革命，后被英国势力平定，自此时起，英国国会和英国国王便正式统治印度，以迄于今。

暴动的影响，失掉了所有的一切，便只好加入难民之群，流亡到今联合省的亚格刺城（Agra）。祖父以三十四岁的青年死于一八六一年。祖父死后三个月，我的父亲莫蒂拉尔·尼赫鲁（Pandit Motilal Nehru）才出世。这是一八六一年五月六日。大诗人泰戈尔（Rabindranath Tagore）先生，亦于同年同月同日出世，可谓巧合之至。

由德里逃难之时，父亲仍未出世。两位伯父携带了我的年幼的姑母同行。途中不幸遇到英国兵士。姑母当时年虽幼稚，却长得十分美丽。英兵见了，以为印度人决无如此美丽的女儿，一定说伯父们拐带了英人的女儿逃跑。这罪名非同小可，在兵荒马乱的当年，如果不能证实是自己的妹妹，一家老小便会马上给英兵杀死。幸好，一位伯父，懂得几句英语，才把这事的严重性减了不少。碰巧又有一个熟人过路，可作证人，这事才化险为夷。

此后，一族人便在亚格刺住下来了。祖父死后，家庭重担落在两位伯父的身上。大伯父系在英国政府司法机关内任事，时常给派到很多不同的地方去工作，因此，常和家庭隔绝。二伯父本在印度一个土藩王国里工作，后来又在亚格刺城执行律师职务，因此，我的父亲便在二伯父的养育之下成长起来。父亲的年龄，和二伯父的，相差得很远。两人互相依恋，情感一半像父了，一半像弟兄。父亲因为是最幼的一个儿子，甚为祖母所疼爱。我的祖母却是一位个性甚强的人。乡里之中，大家都有点惧怕她。甚至于在死了几十年以后，里中妇女提起她来的时候，还时常说她是一位惹不得的老太太哩。

家庭在亚格剌城，为时亦不甚久。因为二伯父的工作，和那时刚成立的高等法院，极有关联。这个法院后来迁移到阿拉哈巴德（Allahabad）去的时候，家庭也就跟着搬了去。从此以后，阿拉哈巴德便成了我们的家乡，以迄于今。——我也就出生于该地。生日是一八八九年十一月十四日。

二伯父后来在高等法院的律师群中，成了领袖人物；父亲也就在这些时日，于孔坡（Cownpore）和阿拉哈巴德完毕其中等教育和高等教育。他最初学的是波斯文和阿拉伯文，很久以后才开始英文的研究。因为波斯文学得很好，甚为同侪所敬重。不过，他之所以出名，与其说由于学问好，无宁说由于顽皮。他不甚高兴校中功课，只喜欢运动或从事冒险。在学校中的数年，总常时是校中捣乱分子的领袖。他平生喜欢修饰，喜欢过惬意的生活。当年在印度，除很少的大城市如加尔各答（Calcutta）和孟买（Bombay）等地而外，穿西装的人，极不易见，而父亲则喜欢穿着很漂亮的西装。他在校中虽然不甚留心功课，而先生们却喜欢他这一股活跃的精神，因此很喜欢他。每当考试到来之时，他每每以突击方法，作功课准备，结果，在班中常时得到相当好的等第。他对于很多次的各种考试都及格了，可是，大学毕业考试却始终没有完成。他对大考本来不十分在意，第一场考下来，他自以为卷子做得不很好，便连第二场考试也不参加，自己到别地方去游玩去了。后来，他的一位教授写封信给他，颇为发气，说，他第一场的卷子做得很好，为什么却自暴自弃，连考场也不来了呢？——父亲便这样地结束了他的大学生活，从未毕业。

离开学校以后，他便学习做律师。后来往应高等法院的考试，不但考取，而且名列第一。于是，便从此开始他的律师职业。他执行职务的地方，最初是在孔坡，后来才到阿拉哈巴德的高等法院去。

但是，此后不久，我的二伯父去世了。这对于父亲，是一个严重的打击。一方面，是失掉了一位相依为命的亲爱的哥哥；另一方面，是家庭中主要生产者之死亡。因此，父亲甚觉伤心。自此以后，家庭负担便落在他的身上来了。他负上了这一个重担，便只得加倍地努力于自己的职业。结果，二伯父法庭上的律师陈辩书，差不多全部落到父亲的手中来。又因为他做事认真，业务日盛，因之，家庭经济亦大见宽裕。

正当父亲热心于他的职业的这些时候，国民大会[1]，也正大大地吸引了当年懂英语的中产阶级上层分子。父亲也曾参加过大会的最初一些会议。不过，因为他对自己的职业，十分专心，对于国民大会的活动，极不热心。他差不多把全部时间化在职业上去、甚至假日也埋头于律师工作，毫不放松。除此而外，还因为他从前并未注意政治，他恐怕自己的基础不够，还是以不问为好。父亲幼年和青年时代的那股富于战斗性的精神，在外表上，似乎略为减杀了。其实，不过是走入另外一种表现形式，他用之于职业上的努力去了。他是富于战斗性的，然而，当时他却竭力避免在政治方面活动，大概当时国民大会的工作，并不

[1] 印度国民大会（Indian National Congress）系于一八八五年成立。

十分富于战斗意味，也是引不起他的兴味的原因罢。

我的父亲，如果就“民族主义者”这一名词的广泛含义而论，他当然是一位“民族主义者”。不过，他个人对于英国人及英国人的态度作风等，却十分倾心，并且努力模仿。有时，他甚至于觉得印度同胞们自己过于堕落，目下所受痛苦，似亦罪有应得。当时的政治活动，总引不起他的趣味。主要是因为他觉得当时的活动家们，大抵空言而无实际。但是，他自己却也拿不出什么一定的主张来。究竟如何始为实际，他也不说。除此而外，他还有这么一种思想——这当然是由于他在职业方面的成功所产生的自负而来——以为开始从事政治活动的那些人们，多半是——当然不会全是在生活方面没有办法的人。结果，他自己专心致志于自己的事业去，因而在事业方面获得了很大的成就。

父亲因为能力很强，所以职务上的收入极为可观。再加以父亲对欧洲文明的癖好，结果，我们的生活方式，十分欧化。父亲极会用钱，也极能找钱。多找多用，他毫无一点储蓄的想法。

我幼年初期的家，就是这样。

二　幼年时代的生活

我幼年时代的环境，就是这样一个养尊处优的环境。我年纪太小，无法和堂哥们攀谈，只好当他们彼此之间谈话的时候，立在旁边静听。但是，他们所讲的，我却不能完全懂得。在这些时候，我时常听到堂哥哥们谈到英国人以及英印混合种之如何欺凌印度人；印度人应如何起而反抗，不应逆来顺受。他们还谈到当时印度人民与英国政府之间冲突的事实，有时还加以讨论。一个英国人在印度杀死一个印度人，凶手终于被其同胞审判官宣告无罪而予以释放，乃司空见惯的公开事实。在铁路火车上，房间是必须留候英国人前来受用。房间明明空着，印度人也不得走进去。公园里椅凳，也必须留候英人享受，印度人不得占据不让。

听了这些，我心中因此充满了对外族统治的愤恨。

每遇英国人无法无天地欺凌印度人而印度人予以还击时，我心里便感到很高兴。我的一位堂哥，身体很好。他就时常和英国人以及英印混合种，发生冲突。这些冲突，时常在火车上或公共场所发生。他尤其常和英印混合种冲突。这些混血儿，也许是想表示他们与统治民族之同种，有时比英国人还来得可恶。

虽说我这时即已开始痛恨外族统治者的不法行为，然而，如我所能记忆的，我当时对个别的英国人，确毫无痛恨的心理。我的保姆和家庭教师都是英国人。再则，父亲的英国朋友，也常常到我们家里来谈话。在我的心里，对他们却是相当敬慕的。

每当黄昏之际，父亲的英国朋友，时常来拜访他。他们纵情谈笑，十分快乐。房间里充满了父亲那出了名的笑声。他借此舒一日劳苦之闷。有时，我为好奇心所驱使，想一窥这些大人们彼此之间究竟一个对一个谈些什么，便到帘后去偷听。有一次，给父亲发见了，他便把我捉了去，抱在膝上，继续和朋友谈话。他们谈话之时，常时饮酒。当时我对酒类的眼界不大，只看见过威士忌酒。有一次，我看见父亲饮着一种红色的液体，心里十分害怕，马上跑去报告母亲，说，父亲正饮着人血。

我对父亲，心中甚爱他，也甚崇敬他。那时，心里想，自己长大之时，一定要成为父亲这样的人。但是，我虽然爱他，崇敬他，却也怕他。我曾经看见过他向别人发脾气，有时向佣人们发脾气时，十分虐待他们。当此之时，我对父亲又怕又恨。父亲的脾气，真是一件可怕的东西。不过，幸好他为人亦有着很强烈的仁者之心，理智也时常能控制他的脾气。年事越长，这种控制力量也越强。当他晚年之时，这种老脾气几乎完全没有了。

在父亲这种坏脾气之下，我曾做过一次牺牲。有一天，当他不在家的时候，我在他桌上看见有两支自来水笔。心中考量，以为父亲一人怎么能够同时用二支之多，自己便拿了一支。他回来时，看见一支笔不在了，便在家中到处搜索，良久仍无结果。我看见他正迫切地寻找这支笔，感觉到自己做下的事原来很严重，心中恐惧，更不敢自首。然而，结果，笔的失掉原因，终被查出。父亲大发雷霆，痛痛地鞭挞我。一直打得遍体鳞伤。打后很多天，身上各处都缠着绷带。——这时，我大概六岁光景。

但是，我记得我当时却并未因此对父亲怀抱恶感。我以为父亲是对的，仍很爱他，很崇敬他；不过，略略也有一点怕他了。对母亲则不然。母亲从来连骂也不骂我一句。所以，有时在她的面前，我甚至还欺侮起她来。母亲的家庭，也是喀什米尔人。他们离开这个老家乡，还不过两代人的光景。

那时，除母亲以外，我还有一位知己，那是父亲的朋友幕巴拉克·阿里先生（Mubarak Ali）。其人出身于富裕之家，但因一八五七年的大暴动，大受损失。再加以英国军队之来，家产全部毁灭。家破人亡之后，他气质变得很好，对人非常之温和，对小孩子们，态度尤为可亲。当我受了什么委屈的时候，往往跑到他的住所去，吊在他的颈上，听他谈《天方夜谭》一书中的故事。有时，他把一八五七年大暴动的详情，讲给我听。可惜，这位先生当我长大成人之时，他却死去了。不过，对于他的记忆，还老留在脑子里，历久不衰。

除阿里先生而外，我还由母亲和姑母口中，得知由《拉妈亚那》（Ramayana）和《摩诃婆罗多》（Mahabharata）[1]

[1]《拉妈亚那》和《摩诃婆罗多》，乃印度有名的两大史诗。

中引出来的许多故事。尤其是我的姑母，南特·拉尔（Pandit Nand Lal）的遗妻，她知道很多印度古书，提供了不少的补充故事。因此之故，我很小之时，对印度民间文学和神话，都有了相当的知识。

对于宗教，我的认识十分模糊。宗教信仰，似乎不过是妇女们的花样，无多大意思。我的父亲和堂哥哥们，对此都往往以儿戏视之。在印度，有着各种各样的节气，母亲当时带我去庆祝。男人们虽都不大有趣味，家庭中妇女们却认真得很。单流行于我们喀什米尔人当中的，也有着各种各样的迷信节气。但是，在这些很多节气庆祝之中，我只对一个感到最大的趣味，那便是我的生日之庆祝。在这个节气里，我本人充任主人翁。早上起来，穿好漂亮衣服，便在一架大秤上量体重。我站在一边，另一边摆上面粉或其他别的东西。这些东西用了以后，便施舍给穷人们去。这一天里，我穿新衣，吃好食，十分惬意。甚至于还大发议论，主张每年应该多庆祝几次生日哩！诚不知有一日终将到来，这一日，提及自己的生日，会深深地感到年事已长，心中不快哩。

有时，全家人旅行到很远的地方去参加亲朋的婚礼，也是我们最感趣味的时候。在这些场合，我们往往毫不顾及大人们的责骂，畅所欲为。这种时候，往往是很多的人都在一起，十分热闹。我们便无法埋怨生活寂寞了。印度的婚礼，无论贫富，都极奢侈之能事。这种铺张，即使放下花费一节不谈，其作风之俗，亦实大不可耐。只有少数的场合，能免于此。这种罪过，可以说，中产阶级要负责大部分。穷苦人民，当然也力求奢侈，甚至冒负重债之险，亦必须力事铺张。但是，如果即因此断言其贫困之由，即为此种不良风俗所致，乃十分糊涂的话。说话的人，往往忘记贫苦之人，终年劳苦，生活极为无聊单调。这种婚礼庆祝，使他们暂时忘了忧苦，作一时之娱乐，实不为过，盖亦未可厚非。谁能如此残酷，竟至于反对他们这种少有的大笑机会呢？不要花费，不要奢侈（奢侈一字，用之于此情，实为不当），这都是对的，可是，我们决不可使他们的生活，较目前所过的，再无聊，再无趣啊！

其实在中产阶级，其情形亦复如是。奢侈一项不去谈他。婚礼庆祝，确也是一种特殊集会，可以因之得与久别的远亲老友会面。印度是一个很大的国度。要与亲朋会面，十分不易。要大家共集一堂，尤为难能。于是乎乃有这种扩大的婚礼之庆祝。其规模之大，人数之多，只有近年来的政治集会，各种会议和国民大会会议等，才堪与比拟。

喀什米尔人，在印度人之中，可说较为开通。如深窗制度（Purdah）[1]这种古旧恶习根本便没有。后来我们移到平原地带来了以后，看见有这一种风俗，为适应环境起见，才略事模仿。但是，这仍只就与非喀什米尔人接触之时而论。在我们喀什米尔人当中，却仍旧男女共处毫无拘束。在喀什米尔人的宴会里，也是男女共堂。不过，女子们却往往坐在一块而已。喀什米尔人当然还没有欧洲那种文明，这是不消说的。

我的童年初期就这样在良好环境之中，在家人钟爱之下过去了。

[1] 印度有一种女人应该静处深闺毫不露面的风俗，大抵讲究的人家都必须如此，此种风俗名曰深窗制度。

三　家庭教师布鲁克司给我的影响

我十岁左右的时候，父亲新建筑了一间高大而宽敞的住宅。他取名为阿难馆（Anand Bhawan）。有一个花园，还有一个游泳池。常年在游泳池内安置电灯，在阿拉哈巴德，还是一桩了不起的新奇事。池子造成前，我天天去注视工人们工作的情形；落成后，我一天要到池子里去游泳几次。俯游仰游，各种花样都玩得很好。在夜里，父亲的友人们也都来此游泳。我对于怕水的客人，时常寻他们的开心。一拖一推，弄得他们叫怕时才止。其中最遭殃的，怕是德吉·巴哈多尔·萨普鲁博士（Dr. Tej Bahadur Sapru）。他那时是阿拉哈巴德法庭的新人物，是父亲的好友。他不善游泳，也不想学习。到游泳池来的时候，必定坐在水下一尺五寸的地方，绝对拒绝前进一步。如果推他一下，他必定要大声叫唤。我的父亲也不能游，不过，他却咬紧牙关下水去。

正当我十一岁光景的这个时候，布尔战争（Boer war）正进行着。我完全同情于布尔人[1]，每日由报纸上去找战争的消息。

与此同时，我的第一个妹妹出世。这时，父亲正在欧洲未回。我十一年以来，觉得人皆有兄弟姊妹，而我独无，甚感寂寞。这一个妹妹之出世，无疑地使我十分兴奋。我还记得，她出生那天，我在凉台上焦急地等候着她之落地。一个医生走出来把生产了的消息告诉我，更加上一句道："是一个妹妹，这也许更使你高兴，因为，如果是一个弟弟，他将来会来和你争分财产的。"他意在取笑，不过，我听了之后，却十分不悦。心中想，竟有人会想象我可能怀抱此类的坏念头，实在气人。

父亲这次欧洲之游，回印之时，在印度婆罗门教的社会里，引起了一场大风波。他回来时，拒绝举行任何一种"洁身式"（Prayashchit）。几年以前，另外一位婆罗门教徒到英国去请领执行律师职务的许可证，回来之时，社会中的正统人士便把他开除。后来他虽举行"洁

[1] 布尔人，乃南非的一种由荷兰来的移民。

身式”，也无济于事，他们仍与他断绝往来。此事的结果，在社会中造成了差不多相等的两派。后来喀什米尔年青人之往欧美留学者，回来之时，便马虎地举行了一次“洁身式”，而自成一派。这种“洁身式”，这时不过是一种形式，目的在敷衍耳目，完全没有宗教的意味了。我的父亲，是更进一步，他拒绝举行任何一种仪式，即使只是形式上的也不行。这样一来，他造成了第三派，很多喀什米尔的年青人都追随着他。不过，后来这些拘束渐渐松懈，三派人也互相混合起来。最后，青年男女之往游欧美者，越来越多，回来之时，连“洁身式”这回事也忘记了。

我们喀什米尔人，是自命人种高尚的，一向怕与他种混合，破坏了本身的纯洁，所以不与外种结婚。我的家庭也打破了这种迷信。我的两位妹妹，都和非喀什米尔人结婚。同族的一位青年，迩近结婚，妻子是匈牙利人。

大约十一岁的时候，由于毕善夫人（Mrs. Annie Besant）的介绍，费蒂南 · 布鲁克司（Ferdinand T. Brooks）来充任我的留宿家庭教师了。我和他共处，几及三年。他给了我很多影响。除他而外，我还有一位伴地特(Pandit)[1]充任教师。请他来，主要是教我的身毒文（Hindu）和梵文（Sanskrit）[2]的。不过，结果教了很少。我的梵文程度极为不行，只可与我后来在哈洛（Harrow）所学的拉丁文相若。这罪过当然在我，因为我不长于语文之学习，而文法一端，又是最使我头痛的东西。

布鲁克司引起了我对文学的趣味，在这方面，阅读了不少的东西，虽然是漫无目的地。最初读的是儿童文学读物。由 Lewis Carrall 的东西读起，甚感兴趣。接着读 *The Jungle Books* 和 *Kim*。对 Gastave Dore 在 *Don Quixote* 一书中的插画，更觉有趣。Fridtjof Nansen 的 *Farthest North* 一书，向我展开了一幅冒险的新境地。我记得曾经读了很多 Scott，Dickens，和 Thackeray 等人的长篇小说，H.G. Wells 的传奇，以及 Mark Twain 和 Sherlock Holmes 的小说等。*Prisoner of Zenda* 一书，使

[1] 伴地特一字，意思是学问高深而德高望重。在印度，通常用以称有此种资格的人。

[2] 现在印度的文字，大别之可有二种，一为身毒文，一为乌图文（Urdu），写法不同，大抵身毒文多含梵文的成分而乌图文多受波斯文的影响，在印度，印度教徒多使用身毒文而回教徒多使用乌图文。

我惊奇。而 Jerome 的 *Three Men in a Boat* 一书，可谓极幽默之能事。在现在还突出在记忆之中的书，还有 Du Maurier 的 *Trilby* 一书，*Peter Ibbetson* 也仍记得清清楚楚。对于诗歌，也发生了趣味，这种趣味，后来虽历尽沧桑之变，而仍保持不衰。

布鲁克司还引起了我的科学方面的兴趣。我们建立了一个小小的实验室。有个时候，我埋头在实验室内做关于物理化学方面的实验，动辄数小时之久，不外出。

除了关于我的功课方面而外，布鲁克司还给了我一种影响，虽然是暂时的，却十分深刻。那是他的接神学（Theosophy）。他本是一位接神学者，常和很多朋友一块在他的屋里开周会讨论关于接神学方面的问题。他们说的都是一些形而上的理论，旁征博引，提到很多大哲学家以及很多深奥的古书。我虽不甚了了，心中却颇向往。我以为这就是了解宇宙之谜的门径，便努力学习，把那些古奥难懂的老书拿来阅读。不很懂它，但却有趣地读它。正在这个时候，毕善夫人到阿拉哈巴德来，作了好几次关于接神学方面的讲演。我听了之后，便决心加入他们的接神社（Theosophical Society）。回到家里，把这意思告诉父亲。父亲若无其事地笑着说："可以！"我看了他这种冷淡态度后，心中大觉不满。我心想，父亲虽然在各方面都很伟大，而于接神学之信仰，独付缺如，殊为遗憾。其实，父亲倒是一位过来人。他年青的时候，也曾加入接神社。后来知道这玩意无甚意思，这才退出了的。

于是，在十三岁上，我便加入接神社。入社式是毕善夫人举行，极为隆重。过后不久，布鲁克司离开了我，接神学这才与我断缘。后来我自己又到英国读书去，这玩意儿才整个地与我的生活告别了。

正在这些时候，日俄战争开始了，我对于此次战争，甚感兴趣。日本方面的战事胜利，甚使我高兴，每天我都焦急地等候着报纸，好读关于战争的消息。因了日俄战争之故，我开始对日本感到兴趣，便买了很多关于日本的书籍来，加以研究。读读日本的历史，甚觉不过尔尔。不过，古老日本的武士道故事，我却十分喜欢。小泉八云（Lafcadio Hearn）的小品文，尤使我喜欢阅读。

从这时起，民族主义的思想，充满了我的全部脑子。我梦想着印度的自由和亚细亚洲完全脱离欧洲的羁绊的自由。我幻想着很多英勇事业，幻想到自己如何手持宝剑，为印度而战，争取印度之解放。

十四岁时，家庭中起了较大的变化。年纪较大的堂哥哥们，已经成家立业，搬出去自立门户去了。我思想中也起了新的波纹，对于异性也感到一种莫明其妙的趣味了。不过，我却宁可远离女孩，而常和男孩们一起，因为我总觉得，和她们在一块，是一桩有伤尊严的事。然而，每当亲朋游宴之时，有女郎在座，秋波一转，玉臂一触，也往往使人销魂罢了。

一九〇五年五月，当我十五岁的时候，我到英国去。同船前往的，有父亲和母亲，还有尚在襁褓中的妹妹。

四　哈洛与剑桥的求学时代

五月末的一天，我们抵达伦敦。在多佛（Dovcr）时，得知日本在对马岛（Tsushima）的大胜利，使我十分兴奋。次日，正值答彼竞马节（Derby Day），我们便去看赛马。

哈洛的入校年龄系十五岁以内，我那时稍稍超过了这年龄。但，幸好终于取得入学资格。父母等便离开了我，到欧洲大陆去，接着回印度去了。

这是我第一次离开家庭而生活，最初颇感寂寞，但不久也就自然了。在校内，虽然我力求与同学合得上，但是，结果总不能好到百分之百的境地。我自己总觉得并非英国儿童们的一伙，而他们也如此地看我。幸好功课既忙，我又好运动，精神有所寄托，寂寞之感也就不甚厉害。

入校之初，因为拉丁文程度不够，给编在低级班。可是，不久也就升了级。在很多课程上，尤其是一般常识，我比同学们知道得更多。班中以我一人读的课外书和报章杂志为最多。英国儿童们只知谈论运动，很使我看不起他们。我记得曾把英国儿童之无聊，写信告诉父亲。不过，这种看不起英国儿童的感觉，后来进了较高的班次，改了一点。

一九〇五年年底英国的大选，我对它甚感趣味。此次大选的结果，是自由党（Liberal）的大胜利。一九〇六年年初，我们的班主任向全班叩询对于新政府的观感。出乎班主任之意外，班中唯一发表意见的人便是我。除了功课而外，对于当时正发展着的航空事业，我也甚感趣味。那时，还是雷特弟兄（Wright Brothers）时代，尚属幼稚时期。

当我在哈洛的时候，其中只有四五个印度人。后来来了加普尔塔那（Kapurthala）的大君的长子帕那吉德·新德（Paramjit Singh）。他是最与英国学生合不上的一位。他们时常开他的玩笑。他大发脾气，但又无可如何，只好说："你们到我们加普尔塔那去的时候，再来和你们算账。”然而，如此说，仍于事无补。他们好像决心不到加普尔塔那去似的，仍旧拿他来当开玩笑的材料。他本来在法国住过很久，法国语也说得很好。然而，在校中的法文一科，成绩却不好。英国的教育方法，正是如此。

我们班上也有一些犹太人，他们都过得很好。但是，仍有一种反犹太的空气存在着。不过，我却毫无反犹的意味。在后来的年头里，我还交了很多犹太朋友。

我在哈洛，渐渐习惯于生活了，可是，也渐渐感到厌烦起来，开始想到大学去了。这时，印度正在纷乱之中，民族运动，蓬勃向上。整个一九〇六年到一九〇七年之间，由印度来的消息，都使我激动。在英国报纸上，我们看到很少的消息。然而，这少得可怜的消息，已经告诉我们，在家里发生些什么事体了。孟加拉（Bengal）已在混乱之中。蒂拉克（Tilak）的名字，也由浦那（Poore）传来了。斯瓦底习（Swadeshi）[1]和抵制外货的呼声，也听到了。但是，我在哈洛，却无一人可与交谈此类事体，

[1]“斯瓦底习”一字，本意是“自国的”，因此，意思是提倡本国的工商业，同时，对英国货予以抵制。

心中甚闷。一直到在假期之中，会到一些由印度来的亲友，才得一吐积闷。

在校中因为功课好得到的奖品，是 G.M.Trevelyan 的关于加里波的（Garibaldi）[1]丛书中的一本。这书深深地感动了我。我设法把同集的其余二册也找了来，仔细研究加里波的的事业。梦想着自己将在印度做同样的事业，为印度的自由而斗争。在我的脑中，印度和意大利似乎奇怪地混成一块了。这一来，哈洛这个环境，我觉得太小了，容不了我的这种思想活动，便决定到大学那样较宽的园地里去。我把这意见与父亲磋商。得到了他的同意，便在留哈洛仅仅二年之后，提早离开，到剑桥（Cambridge）去了。

入剑桥大学时，是一九〇七年的十月之初，我是十七岁近十八岁了。这时成了大学肄业生，有着更多的自由。一方面，摆脱了儿童时代，可以自号为成人了。这使我心里万分高兴。兴高采烈地在剑桥的大街小巷漫游，碰到熟人，心中十分快活。

[1] 加里波的系意大利民族运动中建立意大利民族国家的革命者之一。即意大利所谓“建国三杰”之一。

在剑桥的三年，是安稳而平静的三年。我选的科目是自然科学。主要是化学，地理，植物等科。但是，我的兴趣却不局限在这些范围以内。我在剑桥所碰到的朋友们，大抵都博学地谈及文学，历史，政治以及经济等科。在这些谈话之中，我最初茫然无所知。后来看了一些书籍，也就一样地谈起来了。我们动辄便讨论到尼采（Nietzsche）。那时，尼采正是剑桥学术空气中的时髦品。谈到萧伯纳（Bernard Shaw）以及迭克孙（Lowes Dickirson）的最近著作等等。也谈到性的问题，动辄援引到依凡·布拉克（Ivan Block）、依利士（Havelock Ellis）等等。我们都自己觉得对于这些，一个并非专家的人应该知道的，我们都知道了。

但是，在事实上，虽然我们大胆地谈论着性的问题，而我们之中，敢于作性行动的，恐怕很少。所以，我们的谈论，其实仍只局限于口谈而已。至少我是如此。但是，这也并非由于某种宗教性的禁欲思想所致。我们是把这事认为既非不道德也非道德的事，乃是一种超乎道德问题以上的事体。虽然如此，一种羞涩之感，终于使我竭力避免性的行为。

当时我的人生态度，是一种广泛意义的逸乐主义（Cyrenaicism），这一半由于此乃一般青年的自然天性，一半由于受了王尔德（Oscar Wilde）和配脱（Water Pater）二人的书的影响。当然，对于这种好逸的欲望给予一个希腊的学术名字，是十分容易的，但是，我总觉得我所企图的生活，却略多于逸乐二字。我并不特别希望过一种安逸的生活。我对宗教不感到兴趣，此种自然的结果，使我不得不另寻其他标准。于是，人生的审美方面，便引动了我的心。我便怀抱着一种理想，想有价值地过此人生，不以下流的方式放纵情欲，但是，又能尽量享受。我享受人生就行，何必去考虑它，把它认为是罪恶。同时，冒险生活，也仍引动我心。我有点儿和我的父亲一样，我们都是好赌的，最初以金钱为赌注，其后以生命为之。一九〇七年到一九〇八年的印度政治活动，是一种暴动的形式，然而，我仍决心投身其中。这就并非一种求安逸的企图，不言可知。所有这些思想，彼此混和着，矛盾着，共存在我的脑中。不过，虽说各种情感，极其模糊混乱，但我仍不担心它，因为最后决定之期，尚未到来。同时，生活在身心双方，都很爽快，新的前途即将到来，有着很多新的事要做，很多新的东西好看，也还管不到这些。决定之期，还在辽远的将来呢。有时，我和青年同伴们谈及此类的问题，直至夜阑炉尽，不免汹汹拳拳，若将不及。然而，这一切其实不过是装腔作势而已。真实的生活还未到来。人生问题还不是我们的真问题。这时正是大战之前的世界，这世界即将死亡而让位给另一个世界，充满了死亡、毁灭、愤怒等的世界，可是，未来之幕，把这情形遮住了，我们只在我们的周遭，看见一个将有更美好的秩序存在的前途。

我在此谈着逸乐主义之类的名词，如果以为我对此有着一定而明确的认识，那是错误的。这些都不过是当时存在于脑中的模糊概念而已。我那时并未关心这些。每天忙的其实还是功课和运动。有时使我十分兴奋的，还是在印度的政治斗争情形。当时在剑桥，最于我有影响的书，是唐逊特（Meredith Townsend）的《亚洲与欧洲》（*Asia and Europe*）。

一九〇七年以后，印度都在不安之中。可说是自一八五七年大暴动以来印度以英勇姿态反对向英国屈服的第一次行动。蒂拉克被捕判罪以及孟加拉民众宣誓实行“斯瓦底习”和抵制英货的情形，激动了全部在英的印度学生。我们差不多毫无例外都是蒂拉克急进派（Extremists）的信徒。

在剑桥的印度同学，成立有一个“马吉利斯社”（Majlis），大家在这儿讨论政治问题，但都空洞无物。我当时虽也参加，却很少开口。在“马吉利斯社”里或在私人谈话之中，印度同学们，都以激烈的态度，谈论印度革命问题。他们甚至主张使用暴力以求独立。可是，离英回印而后，他们有些加入印度文官部（Indian civil Service），有些则规规矩矩地做律师。很少有参加实际革命斗争的。

这几年的革命运动，把我的父亲也卷入活动之中去了。很自然地，他加入了温和派（Moderates）之群中。其中领袖，多半是他在职业上的同事。我虽然不赞成他的政治立场，但是，他终于参加政治一事，甚使我高兴。他在当地的省会议上充任主席，采取了坚决的立场，反对孟加拉和马哈拉习特拉（Maharashtra）的急进派。他也曾充任国民大会联合省省委员会的主席。一九〇七年，在苏拉特（Surat）的会议，他也出席。那时，国民大会业已破裂，成为混乱局面，其后即完全成为一个温和派的集团。

苏拉特会议之后不久，纳文生（H.W. Nevinson）到阿拉哈巴德来，当作父亲的客人，和父亲相处了相当时间。后来，他在他的一本书里，提到父亲时，他说，我的父亲平生为人，是“除了慷慨一端而外，一切都中庸温和”。其实，这并非正确的观察。父亲可以说是，除了政治一端而外，一切他都不中庸温和。并且，后来连残留在政治上的这一点中庸温和的态度也取消了的。不过，在一九〇七年、一九〇八年以及其后数年之间，他是无疑地温和透顶的。他拼命地反对急进派。不过，我相信，他对于蒂拉克却很崇敬。

为什么会这样的呢？父亲一向是充满了法理的思想。作为一个律师的清楚的思考，使他感觉到当年革命者所采取的手段不会产生好结果。对于“斯瓦底习”以及抵制英货，他不甚赞成。他以为把印度与欧洲文明隔离，重新走上古老印度之路，便等于反动。他对于印度很多古老风习都不赞成，他是主张欧洲文明的。他认为印度可以借与英国的合作而达到其西方化的目的。

以社会的观点而论，一九〇七年常年的印度民族精神复兴运动，是相当反动的。因此，温和派在当时，还代表了较为进步的一种力量。不过，他们只是寥寥数人而已，未与群众接触。同时，他们不主张经济的革新，除非这种革新有益于中产阶级的上层分子。他们代表着的，就是这一阶层，它是正要求着发展的机会的。所以，他们也主张局部的革新，铲除足以阻碍这一阶层发展的障碍。

既然加入温和派之群后，父亲便采取坚决的立场，反对急进派。他并且为文痛责他们。我在剑桥读到他的文章，深觉不满，曾因此写过一封信给他，在信中暗示说，也许：英帝国主义正需要他这种论调。他接得信后，大发雷霆，几乎决定把我叫回印度去。

当我在剑桥之时，出路问题即已开始考虑。到印度文官部去，也曾计划过。可是，父亲和我，都不十分有兴趣于此。我想，当时的理由，是因为我的年龄不够。如果决心走这条路，则在大学卒业之后，还得多等三四年。因为加入文官部的年龄，是二十四岁。除此而外，还有另一原因，即父母均不愿我久离家乡，不赞成这一计划。结果，决定做祖传的律师职业。

当时，我的思想已经十分急进，而加入文官部成为英国行政机构之一环，竟亦予以考虑，颇为稀奇。这种计划，如果在其后数年，是想也不要想的。

一九一〇年，取得了学士学位后，我离开了剑桥。其后二年，都勾留于伦敦。关于法律的研究，不需甚多时日，很容易地，我便通过了律师考试。其余多的时间，我都用在一般的阅读上去。这时，费边社（Fabians）[1]以及社会主义的思想，对我影响甚深。爱尔兰的妇女参政运动，我也大大地感到趣味。我记得，当一九一〇年夏天我到爱尔兰去游历的时候，尚在早年的新芬党（Sinn Fein）[2]也大大地吸引了我。

这时，我偶然碰到昔年哈洛时代的一些纨绔老友，因此和他们一块生活。把父亲给我的津贴，用过数目。

[1] 费边社是英国社会主义者的一种组织，主张一种渐进社会主义，一八八四年成立。大文豪萧伯纳亦即其中分子之一。

[2] “新芬”二字，在爱尔兰本是“我们自己”（We ourselves）的意思，新芬党成立于一九〇五年，主张爱尔兰独立自治，一方面不与英国合作，一方面主张自己的文艺复兴运动。

这很使父亲不悦，他怕我就此堕落下去。不过，这种生活，不久也就终止了。

在剑桥的几年，假期到来，曾两次到欧洲大陆上去游历过。一九〇九年夏天，和父亲偶然在柏林碰头，那时，正是齐伯林（Count Zeppelin）作第一次长途飞行的时候。飞机由康士坦士湖（Iake Constance）起飞，到柏林来，观者千万，情形极为令人兴奋。其后数月，我又到巴黎去勾留一会。一九一〇年我离开剑桥后，曾和一个英国友人到挪威去。因为在路上翻过了很多山，天又热，到旅舍时，很想洗澡，但是，旅舍甚小，并无洗澡的设备，我们二人便到附近的一条河里去洗澡。我失足滑下水去，几乎灭顶，幸好给同伴拖上水来，得免于死。

一九一二年夏天，我取得了执行律师职务的资格。同年秋天，我终于回印度了。在英国一共勾留了七年之久。

五　大战时期的政治活动

一九一二年年底的印度政治活动，正是低潮时期。蒂拉克业已被捕入狱，急进党被政府残酷地压迫着，走到地下去了，不能发生任何有效的领导。孟加拉自反对省区划分的运动以后[1]，现在已寂然无闻。温和派的人士则热衷于明托莫莱改革案（Minto-morley Scheme of Councils），[2]这改革案的内容，对于印度海外侨民，略略有一点好处。尤其以对南非印侨为甚。这时的国民大会，是温和派把持的集团。每年开会一次，通过一些不能引动人民的无力的决议案。

[1] 英国政府见历次革命都以孟加拉作中心，认为孟加拉乃革命策源之地，便决定缩小省区，分而严治。

[2] 此系一九〇七到一九〇九年所施行的一项改革案，唯一特色，是在各色各样的路询机构中增加印度的出席代表。莫莱为当年印度事务大臣，明托为印度总督。

我回印后，即在同年圣诞节参加国民大会的旁克波尔大会（Bakipore Congress），充任代表之一。这次会议，充满了绅士风味。好像一种社交集会，毫无政治斗争的气色。会中唯有郭哈尔（Gokhale）一人，把政治活动当着正经事做。那时，他刚从南非回来，在会中成为注目的人物。他给我的印象最深。

回印后，我继续律师职务。回家之初，因为一切都是久别重逢，尚称新鲜，心中还略为兴奋。但是，时间一久，一切变陈，我便开始感觉到无聊了。左右又无足与交谈者，只有我的家庭中的空气，还算不坏。但是，这也医治不了这种死气沉沉的无聊之感。当时的政治活动，只局限在少数的上层分子之间。我虽然参加了国民大会的工作仍觉不甚有趣。那时，大会的工作，毫无生气。照我的看法，印度的政治活动，应该是反对外族统治的一种攻势的活动。而事实却不如此，很使我感到苦闷。有时偶然碰到一二富于斗争性的工作，我便马上投身其中，积极活动。可是，这类的机会少有，而且往往是为时甚暂的。

这时，郭哈尔组织了印度服务社（Sevants of India

Society）。我对这一组织，甚感趣味。但是，我却无意加入，一方面，因为我以为这种工作，性质过于温和，无济于革命；另一方面，我暂时还没有想到放弃自己的职业。不过，虽然印度服务社的工作路线也许不是正确的，但，社中人员的牺牲精神，却大可佩服。他们牺牲了一切，为国家服务。而且是继续不断地做下去。

世界大战引起了我们的注意。在最初，因为战场离得很远，对印度影响尚小，大家都不甚关心，也并不对它存惧怕之心，当时的印度防卫条例（The Defense of India Act）实际上是大英帝国防卫条例（The British Defense of The Realm Act）的相等物。整个地把印度握在手掌之中。大战第二年以后，在印度便时常听到"谋叛案"之类的消息，而旁遮布（Punjab）的强制征兵的手段，也开始了。

全国人士虽然都高声地宣誓效忠英国，然而，暗地里差不多都不同情英国。急进派也好，温和派也好，听到德国的胜利，心中反而高兴。当然，印度人不是对德国抱着好感，不过看到自己多年的仇人倒霉，心中不禁痛快而已。这也是无告的弱者的自然心理。差不多人人都以这种混合的感情来注视大战。就我个人而论，在参战各国之中，我最同情的，怕只有法兰西一国。不过，同盟国在印度的宣传，虽然我们常时替它打些折扣，也仍然发生相当大的效果。

这时，印度的政治活动，又渐渐复活了。蒂拉克此时已被释放出狱。他出狱之后，马上组织一个自治同盟（Home Rull League），毕善夫人也同时组织一个自治同盟。我两方面都参加。不过，较多的时间是和毕善夫人一块工作。死气沉沉的国民大会，现在也略有声色了。同时，回教联盟（Moslem League）也开始和国民大会合作，齐步前进。一时，空气极为令人兴奋。大家都兴高采烈，等候着，以为最近的将来，便有大事发生。后来毕善夫人之被拘押，更进一步地掀动了知识分子，加强了自治同盟的力量。自治同盟不但吸收了自一九〇七年以后即被驱出国民大会之外的急进派人士，还吸收了很多由中产阶级出来的新鲜分子。温和派的很多领袖也给激动了。可是，它却还没有惊动广大的群众，还没有和他们发生接触。

毕善夫人之被拘押，激动了我的父亲，也激动了别的温和派领袖。他们都加入了同盟。几个月后，他们之中，有很多退出同盟了，而父亲却仍旧留下，并且担任同盟的阿拉哈巴德支部的主席。

自此以后，我的父亲便渐渐和温和派的正统分子远隔了。他那富于战斗的天性使他不愿意继续对政府老是退让。不过，对于急进派，他却始终不赞成。毕善夫人被捕的一段时间，政治局势，大大的影响了他的态度，然而，他仍然拒绝前进一步。在这些日子内，他常说，温和派的策略，当然也无多大效果；不过，如果印回问题无法作适当之解决，则亦无法作更进一步的有效行动。他并且说，如果能够在印回问题上谋取合理的解决，他愿意舍掉他的温和派立场，与年青的一辈共同前进。一九一六年国民大会的勒克瑙大会（Lucknow Congress）通过了大会联盟联合案（The Joint Congress-League Scheme），这项草案。是在我们家里召开的一次国民大会全印委员会（All-India Congress Committee）会场上起草的。这事使父亲大大地高兴，他便决定和他的温和派集团破裂而与青年人联合，共同迈进。

这时，正是我开始政治工作的初年。我本性羞涩，不肯开口。在最初的这些时候，也不敢当众讲演。除羞涩而外，还有一个原因，即我以为这类的讲演，不可使用英语，而我自己用印度土语作相当长时间的讲演，究竟有无此种能力，又无把握，所以每每避而不讲。我还记得，大约是一九一五年的光景，有一次我在阿拉哈巴德被迫上台当众讲演。我只好上台以英语作很短的演说。出乎意料之外，我一下台，萨普鲁博士当众拥抱我，吻我。这并非因为我说话的内容，只因为我竟敢于当众讲演了，使他高兴。以为这样一来又多了一个工作者，因为，那时的工作，也不过就是这样的讲演而已。

这些时候，在我们家庭中作政治问题之讨论，往往不是平静的事体，结果时常产生一种严重的空气。父亲对我，十分担心。因为他见我越来越走向急进派了，并且，我又常时批评当时的政治，主张实际行动。究竟是怎么样的实际行动，并无具体意见。父亲急，我的所谓实际行动，大概就是从前很多青年在孟加拉所采行的暴动方式。因此，他心中大为苦恼。其实，我的意思并非如此。我只觉得我们不能够驯伏地屈服于既存情形之下，必须有所作为。当然，就整个民族而论，一个有效的行动，远非容易之事。不过，我总以为，为了我们个人的或民族的光荣，我们这时对于异族统治，应该采取一种进攻的态度，一种斗争的态度。父亲呢，他此时对于温和派的理论和策略，已经不满意了。但是，他却不肯向前一步。他往往必须在理智地详思熟虑之后，才走一步。向前移动一步，在他便是一次内心的激烈斗争。但是，一经决定，走了以后，便誓不回头。他的自负之念，使他决不回头。但在未决定之时，他却决不轻易动步。

他的政治活动，外形方面的转变，系始于毕善夫人被拘押的一段时期。从此以后，他便一步一步地渐渐离开了他的温和派同事们。再加以一九一九年在旁遮布所发生的惨案，他便最后抛掉了温和派投身于甘地咭（Gandhiji）[1]所发动的新的运动。

但是，这种进一步的转变，是后来的事。在一九一五年和一九一七年的当时，父亲尚未决定，再加以对我的担心，所以，和他谈话，颇不容易，往往是他发了脾气后，谈话结束。

[1] 咭字，是敬称的语尾。印度人敬称甘地，都用"圣哲"一字，甘地颇不喜此。尼赫鲁也主张以"咭"称之。此字等于"先生"，但却很含尊敬亲爱之意。

我第一次会见甘地咭，是一九一六年圣诞节假中开勒克瑙大会的时候，因为他在南非的苦斗，我们都十分尊敬他。不过，他那时在我们的心目之中，似乎是一位远离政治的人，也不易接近。那时，他拒绝参加国民大会的工作，仍专心致力于南非印侨问题。后来他在南非的斗争胜利，便准备把同样的方法[1]到印度国内来应用。

我记得在勒克瑙大会后，奈杜（Sarojini Naidu）在阿拉哈巴德的数次雄辩的讲演，深深地感动了我。他的讲演内容，是纯粹的民族主义思想与爱国主义思想。我当时是个纯粹的民族主义者，大学时代的空想的社会主义思想，已经不存在了。罗杰尔·凯士门特（Roger Casement）一九一六年游历时的讲演，向我指出被征服民族的正确道路。

这是我当年思想的大轮廓。但是，广泛的阅读，还不时地惹动社会主义的理想。不过，当时我的社会主义思想，是一种模糊的概念。可以说，只是一种人道主义的（Humanitarian）或乌托邦的（Utopian）而非科学的。

[1] 指甘地的不合作非暴力政策。

那时很喜欢的作家，是罗素（Bertrand Russell）。

这种思想和希望，渐渐使我发生了一种内心的冲突。我虽继续地执行我的律师职务，心中却颇不满意。我之所以继续它，原因是尚无其他之事好做。这时，我渐渐感觉到我的职业和工作不能共存了。这也并非政治方面的问题，而是时间与能力无法分配的问题。因此，我决定抛弃职业。这时，加尔各答的名律师拉希·贝哈吕·郭惜（Sir Rash Behary Ghosh），因了一种莫明其妙的原故，很喜欢我。他向我劝告如何可在职业上有更大的成就，并且叫我写一本关于法律的书。一方面借此学习，一方面可因而增加地位。他甚至愿意向我提供意见，愿意负责校正。然而，这些都无法使我感到兴趣。我想，当此之时，竟花很多时而去写这样一本书，那是最无味的事了。

六　大战后的印度及“沙他格拉哈”

我和茄梦娜（Kamala）的结婚，系在一九一六年的报春节（Vasanta Panchami）那一天。婚礼系在德里举行。结婚后不久，我们曾到喀什米尔去住了几个月，渡过了炎热的暑天。在喀什米尔的这一段期间内，我曾到喜马拉亚山（The Himalayas）去过一次。

欧洲大战结束了。这时，印度工业化已经大量发展。资本家阶级因此成长起来，又富又强了。这些少数人飞黄腾达，还努力找更多的财富和更大的保护财富的权力。广大的群众却不甚幸运，只期待着能够减轻那压碎人的重担。在中产阶级的队伍里，到处都有着一种期待的空气。他们等候的，是宪法即将改变。借这种改变，他们可在政治上获得自治的权力。这种等于幻想的希望，甚至在大众之中，尤其是农民群中，也都存在着。由前线回来的士兵，则略与从前不同。他们已经在智力方面进步了许多，已经觉得不满了。在回教徒，则因政府对土耳其的态度[1]和基拉发特（Khilafat）问题发生了很大的反感。这时，对土耳其的条约尚未签定，不过，大势业已了然，这个回教国是一定被欺凌的了。

总之，当时的印度，主要空气，是等候。大家都焦急地期待着，静看着事态的发展。然而，等着等着，却等来了罗拉特法案（Rowlatt Bills）。这个法案之中，包括着很多条款，对于人民的逮捕以及审问，规定可以不必经过法律认为必需的手续。这不啻晴天霹雳，震动了全个印度。甚至于温和派也表示反对了。然而，虽然全国都反对，但是，反对是反对，事实是事实。这项法案结果经政府颁布，成为法律了。全国反对的结果，政府唯一的让步是，答应此项法律的实施期间，限于三年。

甘地咭这时刚由大病好来，尚未完全复原。差不多还在病榻之上，他便写信给当时的印度总督，恳请他不

[1] 大战时，土耳其加入德国一方，德国败后，英国压迫土耳其，减削土耳其回教教主的权力。

要批准这项法案。然而，他的请求，和其他很多人的请求一样，完全被置若罔闻。于是，甘地咭在无可如何后，只得违反着自己一向的态度，发起组织“沙他格拉哈会”（Satyagraha Sabna）[1]，第一次领导起反对政府的工作来。参加该会的分子，必须宣誓不服从罗拉特法案。如果引用到他们身上来，必须坚决反对。对于政府不时增发出的同类可以反对的法令，亦采取反对态度。这，换一句话说，就是大家准备犯法入狱。

我得知此项消息后，雀跃欲狂。心想，我所企待着的实际行动终于到来了。这是混乱之中的出路，是正大光明的公开手段，也许还是很有效的手段。因此，对于“沙他格拉哈会”，我的第一个反应，便是决定加入。加入该会的结果，是犯法，是被捕入狱。但是，当时我几乎完全没有去考虑这些。即使考虑到，我也决心不管它们了。可是，我马上便发觉这事并不能一帆风顺。父亲得此消息，坚决反对我之加入。他平生为人，是不易为

[1] 沙他格拉哈字意不是“真理把持”，乃甘地的一种宗教性的政治上的活动手段，亦可称为“甘地主义”，其主要内容主张以文明抵抗的不合作方法反抗暴力的压迫。

一阵狂风卷走的。他必须对发生的事，详细地加以理智的考虑后，再行决定。他越把“沙他格拉哈会”的性质和工作纲领加以考虑，他越不赞成。他以为很多个人的入狱，毫无良果，这对于政府能够施以何种压力呢？除此而外，还另有一个原因，即私情问题。他总不愿意自己的儿子入狱受苦。当时，有组织地入狱之事，尚未开始。印度人对入狱的观念，和现在两样。父亲的外表，有时是十分严肃的，其实，他心里对子女之爱，却深不可言。

关于此事，我和父亲双方都感痛苦。我们双方都竭力谅解对方。我自己虽然已经决定加入该会，但是，我却深思熟虑，想设法减轻父亲那明显的苦恼。有很多夜里，我独自漫游园中，考虑这一问题，想寻出一条出路。父亲呢，甚至于倒在地板上去睡觉，想体念出此种滋味究竟如何，因为他想，如果我入狱，其结果是睡地板，那是一定的了。

不久，父亲把甘地咭请到家里来。他们二人谈了很久。谈话时，我都不在场。最后，甘地咭来劝告我，叫我对于凡足以使父亲苦恼伤心的事，都不要去做。我心里很不快活，不过，不久，印度的局势改观，“沙他格拉哈会”也无法活动了。

在“沙他格拉哈”纪念节这一天，旁遮布发生了很大的惨案。阿木里昔尔（Amritsar）和阿米达巴德（Ahmedabad）群众暴动。德里和阿木里昔尔的军警，开枪扫射群众，死亡极重。整个旁遮布下了戒严令了。其中消息既无法传出，外面人也不能进去。完全隔断了。我们中一些人想不顾戒严令，冲将过去，却又被一一拦回。最后，才由国民大会组织了一个调查慰问团前去。

后来戒严令在主要区域撤消，很多国民大会闻人都到旁遮布去慰问。达斯（Deshbandhu Das）特别负责阿木里昔尔区，我便被分配在他之下工作，协助他进行一切。因此机会，我得亲眼看见英将代尔（Dyer）在阿木里昔尔的残酷的屠杀。他站在高地向民众扫射，弄得尸积如山，血流成河。

在那一年（一九一九）年底，我记得，当我由阿木里昔尔坐火车到德里去的时候，车厢挤满了，只剩下一个铺位，我占据了这铺位，次晨，在车上一看，原来是很多英兵。他们谈笑甚乐，我不由偷听一二。原来正兴高采烈地谈话得最起劲的一个，便是代尔。他正若无其事地叙述他如何把阿木里昔尔置在掌握之中，如何开枪扫射茄利安华拉·巴格（Jallinwala Bagh）[1]的英勇事迹。其为人之残酷，令我惊骇不已。

在旁遮布惨案调查期间，我时常有机会和甘地咭碰面。他常向我们的委员会建议。他的建议，往往在委员会看来，十分新奇，不肯接受。然而，甘地咭终于有办法说服大家，要大家接受。后来的事实，也往往证明甘地咭之正确。

旁遮布的惨案，给父亲的影响甚大。他全部的宪法思想，从此根本动摇。他的思想便从此渐渐转变了。他本已和温和派不完全合作，这次，使他更进一步。他觉得温和派的报纸《领导报》（*The Leader*）已经不行，自己重新在阿拉哈巴德，创办《独立报》（*The Independent*），那是一九一九年年初的事。这份报纸得到相当的成功，不过，管理方面却自始便不良。这罪过，从董事到编辑，大家都要负责。我本人也是该报董事之一，曾竭力协助父亲，办理报社一切事宜。但是，后来

[1] 这是民众们出入城中的一个通路。

当我们到旁遮布去的时候，报馆弄得一塌糊涂，甚至于牵入经济困难之境。从此以后，便一蹶不振。虽然在一九二一年的时候，曾经极盛一时，最后，终于在一九二三年年初死亡了。得了这一次办报经验后，我以后就不敢再负上任何报纸的董事之责了。不过，事实上我后来时常坐牢，也无法负这一类的责任。

一九一九年国民大会在圣诞节召开的阿木里昔尔大会，主席便是我的父亲。父亲向他的温和派的同事们发出呼吁，说，目下局势改变了，请他们抛弃老态度，大家合作，共同前进。然而，那时的温和派首领们，正热心于“蒙塔古齐姆斯福特改革报告书”（Montagu-Chelmsfovd Recommendations），对于他的呼吁，毅然拒绝。这次拒绝，使父亲和自由党（这时，温和派的首领们自称“自由党人”了）间的距离，越来越远了。

阿木里昔尔大会，可说是第一次的甘地的国民大会。当时蒂拉克也出席，而且是会中的重要人物。然而，无论会内或会外的民众大家都属意于甘地咭的领导。“拥护甘地”的口号，开始占优势了。阿里弟兄（Ali Brothers）刚释放出狱，也来出席。因此，国民大会的政治活动，从这时起，走上了新的道路。

穆罕默德·阿里（M.Mohamad Ali）后来以基拉法特（Khilafat）的代表资格到欧洲去了。在印度回教的基拉法特委员会，[1]也越来越在甘地咭的影响之下了。我记得在一九二〇年春天，基拉法特委员会曾在德里开会，决定派遣代表团，前往谒见总督，决定甘地咭也参加。但是，甘地咭尚未到达德里，一份请愿书已经送到总督处去了。甘地咭到时，读了请愿书的草稿，深表不满。他认为请愿书内容过于空洞，并且颇多讨价还价的条件。他主张必须修改，把回教徒的基本要求一一写出，能达目的便好，不达目的，便须誓死争取。既不该徒尚辞藻，更不该流于空洞。他并且申明，如果不予以修改，他便不参加代表团。然而，请愿书既已送去，他只好另外写信给总督的私人秘书，补送各具体请求。但是，总督的答复却很妙，他说，前次送来的请愿书，已经很好了。他拒绝接受甘地咭的附加条件。甘地咭觉得自己已

[1] 基拉法特本是土耳其回教教主的名字，英国大战后，侵犯他的权力，废除他。印度回教乃组织此会以拥护之（可参考 p49“注一”之注解）。这时，甘地和回教徒一同反对英国此举。

经申明了态度立场，便加入了代表团。

很显然的，政府决不会答应基拉法特委员会的任何要求，于是斗争必然到来。甘地咭在此时，力劝他们接受他的非暴力主义，不合作主义。基拉法特委员会接受了它们，并且决定以八月一日为第一日，开始运动。

我记得在那一年年初，一次回教的会议（大概是回教联盟的政治会议）也开会讨论是否采取甘地咭的不合作政策。会议在许德 · 拉真 · 阿里（Syed Raza Ali）的家中举行。这时，穆罕默德 · 阿里，仍留欧未回。梭加特 · 阿里（M.Shankat Ali）却在场。因为这次会议很使我失望，所以还记得清楚。除了梭加特 · 阿里而外，其余都很怕事。他们既无力提出异议，也无力作任何有力的行动。甘地咭向他们致辞，告诉他们，如果决心从事斗争，必须牺牲一切。“你们如要我领导，必须听从我。”一经宣战，则必须坚持到底。这些话，几乎把他们吓怕了。然而，结果当表决之时，他们竟也投票赞成提案——赞成作战！

当我和甘地咭一块回来之时，我对他说，这实在不是一个发动斗争的样子。我们去开会之前，我以为会场一定十分热烈，空气十分紧张。不料，看到的却是一批中年先生，毫无生气。然而，结果也仍赞成斗争。当然，到后来，回教联盟的许多分子，都没有参加斗争。他们反去找政府机构作为安全的保障。所以，回教联盟，实在赶不上一九二〇时的基拉法特委员会。该会确实代表了回教的舆论，实际地投身于当年的斗争之中。

七　印度农村情形

我的政治活动，是我本阶级——布尔乔亚的政治活动。真的，当时的政治活动，可以说都是代表着中产阶级的。无论急进派也好，温和派也好，都是一样。不过，温和派所代表的，是这一阶级的少数上层，他们是在英国统治之下发生成长起来的，他们并不需要重大的变革，因为，这种变革会影响到他们的地位和利益。他们和英国政府以及大地主阶级都有着密切的联系。急进派则代表这一阶级的下层分子。至于产业工人，数目因大战而激增，也只在某些地方有着地方性的组织，无甚力量。农民则在尚未醒觉的阶段，驯伏地一任与他们接触的一切人们剥削压迫，如政府、地主、债主、小官僚、警察、律师以及教士等等。

在一九二〇年的当时，我对于工厂农场的劳动条件，茫然无所知。我的革命观点乃是布尔乔亚的观点。直到甘地咭的土地运动以后，我这才稍稍注意到农民问题来。然而，我仍被当时发展着的政治活动所吸引，不甚注意到这一方面。

这时，我以非常之特别的机会，得与农民接触。事情是这样的：

我的母亲和茄梦娜，都在病中，我便在一九二〇年五月里把她们送到莫沙里（Mussoorie）去。那时，正是一九一九年英国与阿富汗（Afghan）战争之后，阿富汗的代表们正在与英国的专使谈和平条件，地点就在莫沙里；而且，这些阿富汗的代表们，恰巧和我们住在同一间旅馆里。代表们虽生活在一个地方，却分开食宿。我对于他们，并未有特别的趣味。整整一个月里面，并未和他们之中任何一位代表碰过面。即使偶然碰到，也不认识。有一个晚上，忽然来了一位警察署长，拿了当地政府的一道命令来找我，要我保证自己不与阿富汗的代表团有任何接触。事实上我并无和他们接触的企图和机会。警察署长有着秘密情报员注意此事，他应该是很了解的。所以，我不肯给予此种保证，因为这等于无的之矢。警察署长请我去见德赫拉东（Dehra Dun）区的行政长官。我遵命前往，仍然拒绝给予保证。于是，一道驱逐令下来了，限我二十四小时以内，离开德赫拉东区域。这命令，事实上是要我在数小时内离开莫沙里。我心里不愿意离开病着的母亲和妻子，但，那时，文明抵抗运动尚未开始，也不拟违抗命令，便马上离开莫沙里，回到家中。

父亲得知此事，心中不悦，马上写了一封私人信函给当时的联合省省长哈尔郭特爵士（Sir Harcourt Butler）。他和哈尔郭特间本有着很笃厚的私交。他在信中说，哈尔郭特当然不会发出这样无理的驱逐令，必是其他的人弄出来的。哈尔郭特却回信说：这道命令本身对于加瓦哈拉尔[1]无害，他只要离开就是了。父亲回信说，也不是居心违令，不过，如果我的母亲和茄梦娜的病状要求时，那么，我还是要到莫沙里去的。后来，碰巧我的母亲病状转劣，父亲便决定和我一块儿去探望。恰在出发之前，接到了一个撤消该项驱逐令的电报。

第二天早上到莫沙里的时候，我在庭中看见的第一

[1] 加瓦哈拉尔乃尼赫鲁之名，此处昵称也。

个人，就是一位阿富汗人。他正抱着我的小女儿玩耍。这人原来是阿富汗政府的大臣，充任代表团代表之一。原来，阿富汗的代表们由在报上看到我被驱逐的消息以后，对此事非常之有兴趣。代表团团长开始每天送一束花来给我的母亲，探问她的病状。

我这次被驱逐的结果，使我在阿拉哈巴德与大批的农民接触，因为在被逐的二周内，我碰到了他们。这使我开始与农民运动发生关系。这种关系继续发展，对于我的革命观，影响甚大。那大概是六月初。有两百光景的农民，由怕他加尔（Partahgarh）区的中心地带，一直结队步行五十英里之远，到阿拉哈巴德来。目的在于向勾留在该处的政治家们，表示表示，希望政治家们注意及他们的生活之穷困。他们的领袖，本人不是一个本地的农民，名叫拉妈康得拉（Ramachandra）。我得和他们休息在赞木纳河（Jumna）的一条支流岸上，便和几位朋友一块儿去探看他们。到时，农民们围绕着我诉苦，讲到收税区主（Taludar）如何剥削他们，并请求我们和他们一道回去，一方面调查他们的生活实况，一方面保护他们，免得收税区主知道他们怀抱着如此的目的到阿拉哈巴德来，因而向他们报复。最后，我答应他们在二三日后去看他们。

后来，我和友人一块到他们的乡村里去住了三天。地方极为偏僻，农民们见我们来了，大喜欲狂，把我们认为是救星一般，好像我们来了，就可以一下结束了他们的悲苦命运似的。农民们用口大声呼唤，声音极高，这一村落传到那一村落，那一村落又传到下一村落。在很短的时间内，附近很多村落的人，都潮涌一般来了。他们大抵都穿着破碎的衣服，形容憔悴，目光闪灼着，怀抱着黄金般的希望来欢迎客人。我看见这群农民这样地向我表示敬爱，心中顿时感到既羞耻又伤心。羞耻的，是自己那一帆风顺百事如意的物质生活，和着自己那忘掉了广大农民的政治活动，只在城市中兜圈子。伤心的，看到印度农村破坏到这一步，农民们半裸着身体，半饥半饱，更受着百般的欺凌。这种情形，顿时使我张惶失措，同时，深深地感到自己应该要负上一种新的责任了。

我静听着他们很多悲惨的故事，他们如何地倾家破产，以应付收税区主，债主以及各种各样的人们的勒索。如何因高利贷的剥削以致于被由土地上驱逐而为佃农等等。

他们的领袖拉妈康得拉，是一位西部的印度工人。他曾到欧德省（Oudh）各处周游，给农民们讲述着《拉妈亚那》史诗里的很多故事。他本人并未受过很高的教育，但却长于组织能力。他在各地教育农民如何开会，如何商讨本身的困难问题。他还教育他们如何以口头呼唤作为集会的信号等等。前次集会到阿拉哈巴德去，便是他领导着。

欧德这个地区，是一个最好鼓动土地革命的地方。这地方是所谓收税区土的领有地，他们自称为“欧德的诸侯”。采邑领土制度（Zamindari System）在此是集其残酷之大成。差不多所有自耕农都因经不起重重的压迫与剥削，变成佃农了。不过，由另一观点看，农民方面，只有此一纯粹的阶级，所以很有利于集体的统一行动。

印度的采邑领土区，主要是孟加拉，倍哈尔（Behar）以及欧德亚格拉联合省这些地方，采邑领土区域内的农民，所受的压迫与剥削，最为厉害。在旁遮布和古者那特（Gujrat）那些非采邑领土的地方，农民已经穷困得透顶了。可是，如果拿来和欧德区的农民们比较，却又幸运了不少。不过，在旁遮布这些地方，农民群中，种类很多，有自耕农，半自耕农，佃农等等。而他们彼此之间，又复有利害冲突，以致在行动上极难联合一致斗争。而欧德则稍异于是，差不多全体都是短时期的有约佃农，自己毫无土地。本来都是有着土地的，都因债台高筑结果丧失了所有权，而被驱逐了。因此之故，对于倡导一种联合的斗争行动，大有裨益。这些无土地的佃农，甚至连短期的佃权，也常常毫无保障。地主收租时，很少给予收据的，他随时可以说农民并未缴租而将他们驱逐。再把土地租给另一些愿多出额外费的佃农去。农民们在这种时候，又无法证明确已缴租，往往忍气吞声，任其欺凌。即使除掉这种情形不谈，农民们在平常的状态之下，亦难堪其剥削。其勒索名目种类之多，几乎多到使人不相信的一步。据说，某一采邑的租税名目，曾有五十种以上。一句话说完，土地所有者是把他本人一切的消耗，都转嫁在佃农的身上了。甚至厚颜到创立各种奇怪的名目，如“购车税”（Motrauna），“购象税”（Hathauna）等。甚至儿女婚嫁和出洋留学等等费用，也都要佃农供给。因此，在欧德区会发生土地革命的运动，诚非偶然。不过，这种在农村中的广大要求及其活动，竟和印度风靡一时的国民大会以及不合作运动等革命行动，完全无关，真是一种憾事。印度的城市革命家们，丝毫没有注意到这种在农村中的广大要求，而新闻报章当然更是一句不提，一声不响了。

我见了这种情形，思想方面所受影响极大。我深深地感觉到印度革命的主力，不应该单由城市中去找，应该以广大的农村为主，我感觉到从前的活动与农民完全无关，真是很大的错误。

八　农民运动

我在乡村中过了三日，便回到阿拉哈巴德城，因了这一次的旅行，得到了很大的启示，觉得农民是印度革命的主力，比较中产阶级更重要了许多。自己应该多去和他们接触，不久，便又再去一次。

这次再去，我便和农民们一块儿坐，一块儿吃，一块儿宿在草屋里，心里十分痛快。有时他们举行各种大小集会，我也去对他们讲演，因此农民们都非常之信任我。初去，本是坐了一架汽车去的，农民们特别赶工修筑马路，以便汽车直达乡村中心去。有时车子抛锚在土坑中，他们甚至出死力把它抬出。后来我连车子也不坐了，步行了很多路途。我一向的生活，可说是养尊处优的。此次在六月阳光之下，步行很久，做了很多劳苦的事体，而居然能够支持。这很使我高兴，也增长了我对身体的自信。

农民们在无形之中，给我以很大的教育。一方面他们使我从那时以后，无论何时，只要当考虑政治问题的时候，脑中都存在着这一幅穷苦农村的图画，把他们当作主要对象计划工作。这可说是使我由小资产阶级的小圈子里脱出，加入广大的农民群众群中去；另一方面我从前本来是怕用印度土话讲演的，这次站在农人们的集会上，不得不讲，不得不用印度土话讲，因此使我在这方面也增长了很多技术。

接着，我便离开了农民们，回到莫沙里看母亲和妻子去。可是心中却充满了这次和农民接触的印象，总企图着还有机会再到他们群中去。

在一九二一年一年之中，我常时到乡村地带去，差不多走完了联合省全境。当时的不合作运动，也传到了这辽远的乡村里来了。很多国民大会的工作者，都到乡下来工作。他们宣传着不合作运动，有时加上一二句，说，此种运动的目标，亦在于取消农民的贫苦。当时不合作运动与土地运动，虽然仍是独立的，但，彼此之间，已经互相给予影响不少。国民大会工作者所到之地，都强调他们非暴力政策的信条，这使得农民们在运动方式上也不大使用暴力。这一种结果，甚为重要，土地革命在本质上说来，本是富于暴力性的。而欧德地方的农民们，又正是愤怒得一触即发。当时如果一味乱动，不惟得不到好结果，反而使农民遭受到很多的不幸。开始的时候，因为国民大会人士的这种努力，免除了一些冲突。后来事态发展下去，在农民与政府之间，很多冲突终于不免，这当然也是一定的结果。这时，农民们已经认为政府的机构和他们是根本地对立的了，在各方面都反对它。有时，很多的农民乘坐火车不肯买票，尤其以当他们急于要去参加自己的群众大会时为然。铁路管理当局干涉的时候，他们只简单地答复道："现在旧的时代已经过去了！"后来，铁道当局在管理方面严格起来，才除去了这种现象。可是，农民们这种日渐增长的反抗性，已使得政府胆寒了。政府便决心来压抑这种"恶劣"的趋势。

一九二〇年的秋天，农民的少数领袖，因小故给政府逮捕了。案子决定某日在怕他加尔（Partahgarh）开审。可是，这一天到来时，农民群众大批地堆到法庭上来。

并且一直排队直达监狱门口，因为他们的几位领袖就关在这监狱内。县长看见这种情形，怕起来了，只好把审问时间拖延一日。可是，农民们却不肯分散，相反地越集越多，几乎完全把监牢也包围好了。农民们身边只要携带少数干粮，便可经久不散。政府无法，只好把这几位领袖暗地里在监牢中开审，予以释放。这事，在农民方面，当然是一次大胜利。自此以后，他们便误信单靠群众的数目巨大，即可获得斗争的胜利。至于政府方面，当然更为恐惧，从此谨为提防，也严加处置了。所以，后来又发生一桩性质相类的事件，而结果就不同了。

事情是这样的：

一九二一年元月初，我接到由雷巴里（Rae Bareli）发来的一通电报，要我马上到该地去，因为恐怕将有要事发生，我第二天便起身前去。原来农民领袖又有几人因事被逮捕了，农民们鉴于前次在怕他加尔的战略之成功，便决定如法泡制，再来一次。大批的农民又集队到雷巴里去示威。可是，政府方面的对付方法却不同了。它调集了大批的军队和警察，决心制止农民们的队伍，不许前进。农民的队伍到达了镇外的一条河岸上，被阻止了。只有少数由别的方向混进城内。我一到车站，得知此事，马上就到河边去。在途中时，县长派人送给我一张字条，请我回头。我便在字条的背后写回信道：“请问究竟根据法律的何条何款，要命令我回去，除非能说个清楚，不然，我还是要前进的。”于是，我继续前进。到走近河边之时，便听到开枪扫射之声。走近一洞桥边时，守卫兵士阻止了我，不准过桥。我只好就等在那儿。马上躲在四周路旁的农民们围了拢来，大约有二千人光景，我便和他们举行了一次会议，想努力使他们镇静。结果很好，农民们的恐惧心理，减了不少。这时，县长先生正由“火线”上归来，他请我和他一块回去，用了别的一些借口，把我扣留在他的家里两小时之久，主要是使我不能和农民群众以及其他同事们接触。

这次的扫射，农民们被打死不少；可是，他们却不肯就此解散，仍矗立不动。当时如果由我去叫他们解散，很有可能。可是县长不愿出此，他宁肯失败。事实上，曾经有人向他如此提议，他毅然拒绝了。

当时，向农民开枪，不止一处，别的地方也有同样情形发生。可见当时英国政府是决心粉碎农民群众的这种力量的。

后来在一九二一年后半年，非查把德（Fyzabad）县也发生了一次。那一次发生的原因，却很稀奇。有些农民们，成群地跑去把一个收税区主的家里抢个精光。这事后来才弄清楚，原来是另外一位采邑领土主的仆人和那位收税区主有私仇。因此鼓动农民们去如此行动，借以报复。并且告诉农民们说，这是甘地先生的意思，所以，当他们前往抢劫时，大家还高呼“拥护甘地”的口号。

事后一二日，我便奔赴出事场所去，心中非常不满于农民们的这种使用暴力的举动。马上召集了一次大会，严厉地责骂他们。我自己当时很受到甘地咭的“沙他格拉哈”这一理论的精神的影响，对于暴力非常痛恨。我叫犯事的农人，要承认错误，要当众自首。诚实的农民们，因为一向很相信我，便在警察在场的这大会上，举手自认。当然，其结果是逮捕了。

后来，我在和个别农民的私人谈话之中，得知劫人的农民是误信他人之言，深悔不已。可是，已经是后悔无及了。当时，被逮捕的，不只是当场二三十人，以后还续有拘捕。这一案子的审问，差不多经过了大半年之久的时间。很多农民被判决处以短期徒刑，有的死在狱中，有的所受徒刑时间较长，一直到后来我本人数度入狱之时，还在牢狱中会着他们中的一二人，容颜憔悴地在狱中消磨其青春。

印度农民运动的持久力不强，虽然在当时曾显示了很坚强的力量抵抗了政府与地主二者联合的压迫，但是，不久也便衰颓下去了。活动分子，有的被捕判处徒刑，有的因大饥荒而饿死。运动差不多消声匿迹，只有少数的人，以各种不同的方式，把工作局部地支持下去。

政府看见这种农民运动之蓬勃，给吓坏了，这才颁布了所谓“租佃法”。在这一项法律中，把佃农的命运加以局部的改善。主要部分，是规定佃农们对某一土地有终身租佃之权。可是，话虽好听，而于农民的实际生活，仍毫无补益。并且，“租佃法”颁布不久，政府因为看见农民运动的确已经给镇压下去了，便又马上停止实施。

虽说已经被镇压，其实并未死灭。欧德区的土地运动，以后仍然时起时落，绵绵不绝。自一九二九年的不景气开始以后，影响所及，印度的农民运动，又复死灰复燃起来。

不过。当年印度农民运动，虽然极其重要，可是，却是单独地进行着的。既未受外界的任何援助，也不为全国人所注目。当时在印度最引人耳目的，是旁遮布的惨案以及不合作运动等等。甚至“司瓦拉吉”（Swaraj）[1]，当时也不大引人注意，这主要是由于领导者的关系。那时大家信仰甘地咭，而甘地咭本人就不谈“司瓦拉吉”之类的问题。他以为这是空洞而辽远的事。他最喜欢的，是谈些具体而微的策略。要有效而又一定。所以，他一向都只强调着他的不合作运动。他以为这是一种最有效而又具体可行的手段。至于这种手段之采取，究竟欲达到何种目的，他却一句不谈。影响所及，革命目的在群众之中，当时非常模糊不明。

[1] 自治或独立之意。

九　国民大会之转变与不合作运动

一九二〇年的秋天，国民大会在加尔各答（Calcutta）召集一次特别会议。要讨论行将采取何种步骤，主要是想来决定不合作运动一案。

这时，在年老一辈的领导者们之中，唯一能与甘地咭采取同样行动的，只有我的父亲。父亲之做到这一步，也是经过了很大的困难的。他踌躇着，不敢向自己尚未十分了解清楚的境地移动一步。在加尔各答大会召集之前的那些日子里，我很少和父亲碰面。但是，每次当我碰着他的时候，我便看出他正为了这一问题而深思熟虑，不敢马上决定。即使除开关于民族的考虑不计，以他私人而论，这也是一个很重要的转变。不合作运动，就是要他停止他的律师职务；就是要他和原来的生活方式断绝而创造一个新的生活方式。这，对于年近花甲的他，颇属难能。他一向是过惯了舒适生活的，停止职务，结果所届，是必须降低生活标准。然而，他的理智，他的自尊之心，历年以来的积怒，民族的尊严，都驱使着他，要他走上正确的新道路。结果，他终于不顾一切，加入了甘地咭的战线。

甘地咭的人格，大大地使他心服。我父亲的爱恶之情是十分强烈的。然而，他终于能和甘地咭成了很好的朋友。他们二人之结合，可以说是一种奇怪的结合。一个，是一位圣徒，一位宗教的信仰者，一位制欲主义者，一位毕生拒绝人生之一切享乐的人；另一个，恰恰相反，完全不信教，以全副精力享受人生之乐。但是，彼此在人格方面的互敬，使他们结下了笃厚的友谊。

这次的加尔各答特别会议，开始了国民大会的“甘地时代”（自此以后，国民大会一直在甘地咭的领导之下，只有很短的时间让位于远斯和我的父亲所领导的“司瓦拉吉党”，但不久仍归甘地）。衣冠楚楚的绅士作风消失了，代替它的是土布，是下层选出来的代表。印度土话代替了英语。在会场上反对用外国语言的情绪，也越来越高涨了。大会的空气，蓬蓬勃勃，充满了活跃的精神。

开了大会，我和甘地咭回来的时候，曾经到参丁尼克坦（Santiniketan）去拜访泰戈尔先生。在那儿勾留了数日。我还记得安特烈（C.F. Andrew）给了我好几本书，我都很感到趣味。这些书讨论帝国主义在非洲的经济方面的情形。其中一本是 Morell 的《黑人之负担》（*Black Man's Burden*）这书最使我感动。

就在这些时候，或者再晚一点，安特烈曾经写有一本主张印度独立的书。我想，书名叫《独立，当务之急》（*Indepndence-The Immediate Need*）。这是一本很好的散文。在我看来，不但说明了印度独立之必然的条件，也表达了印度人的内心思想。书中并无经济的背景或社会主义的思想，纯粹是民族主义的精神。安特烈，是一位外国人，而且，还属于印度的统治种族，他竟替印度人叫出了内心的呼唤。这是颇为稀奇的事。他曾竭力主张，以为印度之解放，必须依靠印度本身所发生之力量。由外部来的恩惠，借款，宣言，同情……等等，都无济于事。

此后数月的局势发展，证实了不合作运动之有效。抵制立法议员之选举，大大地成功。很多的选民不投票，很多的候选者放弃被选资格。

但是，一部分老的领袖，却因国民大会作风之改变而告退了。最有名的是真纳先生（Mr.M.A.Jlnnah）。奈杜(SaroJini Naidu)曾把他呼为“印回联合之大使”。过去，他确实费了很大的力使印回合作。但是，国民大会此次大转变，使他不能忍耐。他看不惯土布衣服，听不惯印度土话的讲演，终于退出了。据说原因是不赞成此时的政治立场。其实这是假话。当时还有很多比他在政治上还要落伍的人，仍留会中。真正的原因，是他和这批新人物合不上，只好退而隐居。然而，结果，这位“大使”终于走入反动的道路，和回教分区自治派最反动的分子混在一块去了。

温和派或称自由党人诸公，当然与这新型的国民大会无关。他们不但远远地离开它，甚至加入政府机构，充任部长阁员之类以协助政府，共同压迫不合作运动。然而，温和派诸公却不能因此得到快活。和人民为敌，到底不是一桩好过的事。到处碰到敌意，即使看不见它，嗅不出它，心里到底老大不舒服。群众运动，或真正的革命行动，往往会发生这一种双重的效果：一方面，它鼓舞了群众以及和群众在一条战线上的人们，使他们向前迈进；一方面，他在心理上打击了和群众离开的人们。

在一九二一年全年，我们很多在国民大会中工作的人们，都在一种兴奋的情绪之中生活着。既乐观，也热心。我们觉得面前摆着光明的道路，感到一种为事业而赴汤蹈火的快感。我们知道国民大会与政府之间的冲突，必然地就要到来，都想努力在被捕之前多做下一点事。最重要的，就是我们这时有一种自由之感。对于这种自由，我们引以自傲。我们自由地做着一切自己要做的事，再也不像从前一般地需要戒备了。凡要说的话，我们都高声说出，使从前跟在我们后面做情报员的人们束手无策。因为现在无秘密可探了，我们手中的牌都公开地摆在桌子上。

我们不但因为我们做着一些足以改换印度面目而将印度自由带得更近的伟大工作而感到满足，同时，在我们的革命目的和奋斗手段双方，我们都觉得较我们的反对者们的，来得高明，心中也大感满意。我们对于我们的领导者，和他所发明的斗争手段，都认为是足以自豪的。

当着我们的情绪高涨之际，政府方面的，便突然下降了。他们看见这种蓬勃地发展着的现象，手足无措。有时偶加抑制，结果，这种抑制反而发生了刺激作用，增强了运动的力量。政府此时的张惶失措之情，诚如当年的总督雷丁勋爵（Lord Reading）一九二一年十二月时所说，是：“迷乱了，昏了。”

英国官方，不得不退让了。一方面，又因为这种文明抵抗的不合作运动，并不使用暴力，无懈可击，政府也无法予以压制。一般的英国侨民。对于这种非暴力的不合作运动的诚实性，不敢相信。他们总以为这不过是一种烟幕，某种使用暴力的手段，有一天必定会到来的。英国人对印度人，是不了解的。他们自小即受到一种教育，以为东方是个神秘的地方，东方人是一种神秘的人。在这个神秘的所在，这些神秘的人们，时时在谋划着某些莫明其妙的神秘事件。他们对于很多简单的事，不去直率地考虑它，只把他们由关于印度人的那些古怪的神话小说中学得来的观点，去猜测印度人。他们从来不设法去好好地了解他们。一九一九年四月在旁遮布的本可不必发生的惨案，即由这种心理所致。

一九二一年这一年，是万分紧张的一年。一切业已发生的事件，当然已经够坏了。然而，在英人们的脑中所猜想的，其坏更甚。我记起一个最足以代表这种猜想的例子来。我的妹妹施华鲁普（Swarup）的婚礼，决定在阿拉哈巴德举行，时间定为一九二一年五月十日。这日子，是翻了黄历，认为是吉日而择定的。甘地咭以及很多国民大会的名人，都要来吃喜酒。因为想趁他们到来之便，有人发起要在阿拉哈巴德召集一次国民大会常务委员会（Congress Working Committee）。本地的国民大会人士，也想利用这些大领袖们之到来为号召，在本地开一次大会，想吸收附近的广大农民群众前来参加。因是之故，整个阿拉哈巴德城都兴奋了，街头巷尾都以国民大会作为谈资。有一天，我由一个律师朋友处听到一个消息，说，英国人已经从事戒备了。政府并指定某地作为临时事变时英侨集中避难之所。英国人们再也不敢相信他们的印籍仆人了，都自己把手枪拿出，随带身旁，以备万一。我听了之后，甚为惊骇，不知究竟是何道理。仔细打听下来，这才知道英国人们都以为五月十日乃一八五七年米鲁特叛变（Mutiny at Meerut）的纪念日，国民大会准备在这一天以暴动的方式来纪念哩！这真是见神见鬼，谁都知道甘地咭乃非暴力主义的发明者与实行者。他尽全力来劝大家遵行他的主义，而国民大会竟会在这位主张非暴力的圣徒到来之时使用暴力吗？

甘地咭对于这种非暴力的不合作运动，特别常常强调它的宗教的和精神的方面。他的宗教观，可说是一种直接施用于实际人生的宗教观，就群众而论，他确实大大地影响了他们，因而影响了这次运动。国民大会的人士，多数当然都模仿他们的领袖，甚至重复他所使用的辞句。但是，甘地咭的领导同志们，如我的父亲，达斯和拉吉帕特·雷意（Lala Rajpat Rai）等，都是不信宗教的。他们只由纯粹的政治观点来观察政治。他们向外演说时，都一句不提及宗教。不过，他们的话，实在不如他们的行动之能予人以影响。他们不都是抛弃了一切而来从事这一斗争的吗？这种事实本身，就可以被人了解为一种宗教思想的表现。因此，助长了甘地咭那种宗教观的发展。

当时，我对于这一运动宗教性的因素之发展，大感不快。甘地咭在对群众演说之时，也竟引用很多宗教上的辞句。但是，我自己安慰自己说，甘地咭之所以引用它们，是因为它们早已为群众所了解，易于被接受，因此也易于发生效果的原故。甘地咭本是有着一种打入群众内心的奇怪力量的。因此我也并不为此事而多所烦恼。当时我的工作，又极忙碌，也来不及去考虑这些事体。同时，我想，我们这运动，是一个庞大的运动。工作既繁重，参加分子亦极复杂。如果企图统一，自非易事。这好像一条大河流，只要主要的方向不错，其中即使多少有一些逆流倒水，原也不妨。再则甘地咭之伟大，已经是周知之事，我们既然已经衷心信仰他，便不妨交给他以空白支票，一任其自由使用，至少现在应该如此。

但是，我们之中，有很多人太过于信仰甘地咭在革命手段方面之正确，因此也大大地受到他私人生活态度之影响。即以我而论，自幼年以后，与宗教接近，从无如这一段时间之甚。不过，我终于仍能站在宗教圈外，并未投身其中。

对于这一次运动和"沙他格拉哈"的精神，我是尊重他们的精神的和道义的一方面。对于这种非暴力的学说，我并非绝对信仰，也不是永远接受。不过，我当时觉得在我们的印度，有着如此特殊的背景和传统，这种斗争手段，恰好适用。所谓政治的“精神化”，如果使用这字时，并不在于它那狭意的解释，我倒认为是很妙的。对于有价值的目标，必须使用有价值的手段。这不但是一种道义性的说法，也的确是一种政治理论。因为不良的手段，往往把高尚的目标弄坏，或者，在过程中增加新的问题和困难。

这就是我当年的思想。不合作运动，使我满足。我的目的，是在于民族的自由和外族压迫与剥削的终止。不合作运动即可使我达到此种目的（当时我想）。这种手段也满足了我的精神方面的要求，使我发生一种个人身体自由之感。这种个人方面的满足，其力量十分伟大，有很多失败，均因此毫不在意，认为不过是暂时的现象。

对于《迦泰经》（*Bhagavad Gita*）中的神怪部分，我不喜欢，有时却喜欢读其中的一些诗歌。这些诗歌。甘地咭每天夜里回到他那“精舍”（Ashrama）中去作祷告之际，他都背诵着的。这些诗歌说：一个人应该是意志坚定，不动心，专心做事而不计后果。我自己虽然并不“不动心”，但是这些辞句是很使我感动的。

一〇　英国皇太子印度之游

在一九二一年的时候，印度是充满了各种主义的一年。但是，在甘地咭的伟大领导之下，竟能使各种力量，在某种程度以内，集中一起，可说是难能可贵的事。所以，曾有人称甘地咭为“不同民族之各种希望的综合的象征表现物”，确是不错的。

印度民众对于英国的统治，当然是痛恨的。可是，我们对于英国人，可说是宽恕的。这，一方面是甘地咭对非暴力政策强调的结果；他不止一次地告诉我们说：“惟勇者为能恕人。”一方面，实由于印度人民对自己争取独立自由的力量的自信。我们总以为最后胜利是必然的。这只是时间的问题而已。对于一个终归失败的敌人，可以不妨大量一点。可是，我们这种“大量一点”的态度，却不能用之于我们自己国内的少数卖国者。我们对于这种出卖民族利益以求在异族统治之下安富尊荣的印度人，则十分痛恨。

一九二一年左右的印度革命，固然早已蓬蓬勃勃。“司瓦拉吉”一字，也已高唱入云。可是我们常年对于印度革命的最终目标，实在并无清清楚楚的了解。对于“司瓦拉吉”一字的解释，也各是其是。在大部分的青年人看来，“司瓦拉吉”是意味为政治的独立，并拥有一种民主的政府；但是，在另外一些人看来，则以为其结果对于工人农民所受的压迫与剥削，亦将同时予以取消。即是说，还含有社会经济方面之革新的内容。可是，在老一辈的人们看来，似乎又比这样的定义少了不少。甚至于甘地咭本人，对于这一点，都无明确一定的发挥。甘地咭平生所注重的，不是这样的理论上的问题，他只有趣味于最具体的行动计划。

在这些时候，我对于印度革命最终目标的问题，也缺乏一种明确的决定。我只管投身于工作之中，埋头苦干。每天大部分时间，都消磨在办公室里。当日最风行的口号，是“到乡村去！”所以，我也不时地到各地去跑。开会讲演，一天忙到晚。因为对于工作过于热心，我忘掉了老朋友，忘掉了书籍，忘掉了一切社会接触，甚至于忘掉了报纸，除非是有关于当日实际工作的东西，不然，我连看也不要看。更有甚者，我简直甚至于忘掉了我自己的家庭，妻子和女儿。那时，我自己不觉得，很久以后，我才知道，茄梦娜在这一段时期内，曾以多么大的忍耐心，去忍受我这种对她漠不关心的态度。

我更接近了下层的民众，也更了解了他们。可是，虽然已经很和他们接近，而自己终于还没有做到打入他们群中那一步。然而，民众们对我已经非常之爱，非常之信仰了。看见他们如此地信仰自己，我有时便觉得不安起来。想起自己的趣味，希望，背景以及生活方式等等，无论在那一方面，都和围绕着我的这些民众们完全不同。然而，他们竟如此地爱我，信仰我。我因此想，也许民众们的心中，脑中，把我看成是秉赋有某种值得他们爱和信仰的性质的领袖，而其实我并不是。他们崇敬的是那么一个人，和我不同。也许他们完全是误看了。如果如此，民众们将来一日认破，又将如何呢？想起自己在很多方面，不免有着虚饰。然而，在这些直爽而诚恳的民众面前，我真正地感到大大的惭愧。我想起我和国民大会一些同事一块时的那种无聊的装腔作势，不觉耳红面热起来。因此下了决心，以后应该免除一切假的面具，诚实地为农民们做一点有益的事体。

一九二一年之中，由于不合作运动的蓬勃向上，很多的工作者已经个别地给政府捉去了。可是，整批的逮捕，尚未开始。阿里弟兄，以“鼓动印度军叛变”的罪名，已经被判处以长时期的徒刑了。不过他们因而罹罪的行为、言语，却为千百个别的同志，继续地做，继续地说。我在那年夏天，已经因为一些讲演而受到警告了。可是还没有实行逮捕。

本年年底，英国皇太子[1]要到印度来，国民大会便决定以抵制敌货的方法，抵制皇太子之来游。此事一经决定，全印空气大为震动。十一月底的时候，国民大会孟加拉省的义勇工作团，已被政府宣布为非法组织，不许活动了。接着不久，联合省的义勇工作团，也被宣布为非法。当时的局势，十分紧张。达斯发了一份文告到孟加拉来，说：

[1] 即前数年轰动一时不爱江山爱美人的温德莎公爵。

我已经感觉到手铐业已套上我的双手，铁链也已经系在我的身上了。全印度便是一个大大的监狱。不过，我们国民大会的工作，总须继续下去。如果我被逮捕以去，那有什么要紧呢？不管我死或活，这是不关紧要的。

我们在联合省，不但申称义勇工作团仍须继续活动，而且，索性公开地把义勇工作团团员的名单，在日报上予以公布。我的父亲，本人并非工作团团员，可是，为了表示反对政府命令起见，他自己就自愿把名字加上去，并且，开列在第一。十二月初，正当皇太子到达的前数日，大批的逮捕便开始了。

大家都知道，斗争已到了短兵相见的时候。国民大会与政府之间的冲突，终于无法避免了。那一天，我正坐在办公室里，时间虽然已晚，仍想埋头努力，把日来积下的工作债还清。忽然之间，听差来向我报告，说，警察已经把办公厅包围住了。接着，一位警察官走了进来，手中拿着搜索状，要搜查国民大会办公室。我当时因为从来没有碰到这样的事体过，颇为激动，可是我仍力持镇静，我叫另一位同事随伴警察官前往各个房间搜查，叫其余的同事，仍然续续工作，不去理睬警察。不一会，一个就在门外被捕的同事，和着一位警察进来了。这位同事，因为业已被捕，是特地进来向我告辞的。可是，当时我仍以为对这样的事体，应该力持镇静，要把它看为没有一般。因此，便对我的同事说：请你等一下，让我先把这封信写完再说。不一会，更多的人被捕的消息又传来了。我便决定回到家中去看一看家中情形如何。到家的时候，马上看见有着一些警察正在搜索家里的一部分房间。他们是来逮捕父亲和我的。

国民大会此次对于皇太子来游的对付方法，可谓适当之至了。凡是他所到之地，都冷静得好像一座死城，有时，连烟也没有。当他到阿拉哈巴德的时候，该地马上罢工，罢市。到加尔各答之时，也是如此。其实，这罪过不在皇太子本人。印度人民也并非特别恨他。其罪在英国政府，它想利用皇太子的威信，来支持它自己的堕落。

联合省和孟加拉省的国民大会领袖，都已被捕。一般的义勇工作团团员，是成千地被捕入狱。除此而外，还有很多并非团员而自动请求入狱的。国民大会省委员会的委员，是五十五人同时被捕的。被捕之时，他们正在开着会议。还有很多毫不相干的人，也被这次逮捕的潮水，一卷而去。有好些官厅里的书记们，刚刚由办公室下来，正在回家的路上为热忱所动，跌入这股狂潮之中，登岸之时，不是家庭而是监狱。很多青年男女，潮水一般的跟随着涌入监狱，不肯出去。每天夜里，我在狱中听到外面载囚犯入狱的大卡车到来时，远远地便听到车上的人们，高声地大呼国民大会的口号而来，心中十分兴奋。这些大卡车被派出去载囚犯，规定带来一定数目的人，没有写出姓名，也不可能写出，回来之时，所载来的数目，往往较名单上所开列的为多。因为有很多人自动地跳上车来，不肯下去，也只好一起带进狱中。

后来，政府方面渐渐地把这种不分皂白的逮捕政策放弃了，只挑选出国民大会中有名望的人们，予以拘押。在民众方面，那种热烈的风气，也渐渐地冷下去了。因为主要的工作人员，多半已入狱中，外面的空气，便变得沉闷起来。不过，这到底只是表面上的沉闷而已。据估计，在一九二一年十二月到一九二二年一月之间，因与不合作运动有关而被捕处罪的人，数目当在三万以上。可是，虽然多数的有名的工作人员都已入狱，而政府对于领导者的甘地咭，却一直未予逮捕。因为当时政府恐怕把他逮捕了以后，会有不良的后果发生，尤其怕的是军队方面反对。所以，我们大家都入狱了，我们的领袖甘地咭一人，还在外面继续发号施令，进行不合作运动的指导工作。

一九二二年二月初，我在狱中获悉甘地咭忽然停止了这次斗争的攻势方面的行动，决定不采用文明抵抗的手段了。原因是由于绰泥绰拉（Chauri Chaura）这个地方的农民，违背了非暴力的原则，竟在愤怒之下，焚毁了该地的警察署，结果，烧死了六七名警察。我知道这运动停止的消息，心中对甘地咭颇不满意。以为正在运动的力量日渐增强而阵地日渐巩固之际，竟忽然停止了攻势，实在是很不对的。文明抵抗停止，不合作运动取消以后，政府在数月的慌张忙乱之后，开始第一次舒了一口长气。接着也就采取攻势，于数星期之后，把甘地咭逮捕入狱，并且，还判决处以长时间的徒刑。

这次文明抵抗运动之停止，当然引起了我的不满。

我的父亲，此时亦在狱中，他也很不高兴。整个运动，因了这样细小的理由而停止，尤其说不过去。绰泥绰拉，本是一个很小的地方，怎么能够因为这样一个很小的地方的少数人的局部行动，而停止了一个有关全印度人民之利益的斗争呢？甘地咭的不抵抗主义的原则，我是接受的。我之所以接受它，并不是因为它是条最正确的路线，而是因为它是最有效的方法，如果这种方法能够被少数人（甚至于可能是敌人伪装的同志）所破坏，那么，它在本质上一定有着缺点了。不抵抗运动，在名字上是消极的，可是，在本质上却是积极的。甘地咭之所以会获得大家对这种方法的一致拥护，即是这个道理。他在一九二〇年写的一篇文章里，说：

> 我相信，如果只有怯懦与暴力二者足资选择，我一定是赞成暴力的。……我宁可希望印度不惜诉诸武力以保持其光荣，而不愿其以懦弱之态度，成为卑鄙之俘虏，但是，我确实相信，非暴力甚于暴力，而饶恕勇于惩处。
>
> 惟勇者为能恕人。但是，只有当自己有力

量足以惩处他人之时，竟不予惩处，乃得称为饶恕。如果一位无力的可怜虫而饶恕他人，殆为笑话。……但是，我确实不相信，印度乃一无力之国，而我乃一无力之人。……

希望大家不要误解我。力量，不自身体的物质能力而来，系来自一种不可战胜的意志。……

我是一个空想家。我敢于宣称我自己是一个富于实际性的理想主义者。……“非暴力”，乃吾人人类之规律，而“暴力”乃野兽之规律。精神在野兽身上，是沉睡不醒的，它只知道使用身体之力。我们高贵的人类，则须服从更高水准的规律，他必须使用精神之力。

因此之故，我敢于在印度的前面，提出“自我牺牲”这一中古的规律。因为，“沙他格拉哈”及其派生物的“不合作运动”与“文明抵抗”，并非他物，亦即此一中古规律之新名而已。……

非暴力，在其动的状态之下，亦即是自知

自愿的遭难受苦。它并不是教人向侵犯之势力屈服，反之，它是教我们以全部的精力反对暴虐者的企图。如果能在这一原则之下行动，则虽个人单独之力，亦可以反对非正义的帝国，而挽救自己的光荣，自己的宗教思想以及自己的灵魂，并能借此奠下使这一帝国崩溃衰亡之基础。

因此，我之力劝印度同胞使用非暴力政策，并非因为此种政策是力弱的，不，我之劝用非暴力政策，其使用，乃系在自己知道有着力也有着权的自觉之时……我要全印度认识她自己秉赋有一种永远不会死亡的心灵，它可以克服身体上的缺点，而战胜全世界若干身体的联合力量。……

我把不合作运动从新芬主义（Sinnfeinism）隔离开来。因为，它在本质上是不能和暴力并行的。但是，我甚至也愿意请暴力之学校给这种和平的不合作运动以考验。它决不会因为本身具有弱点而失败。它之可能的失败，必由于反应之不够，时至此际，才是真正危险的到来。那些有义气的国人，不能忍受民族的耻辱，将流于愤怒。他们必将使用暴力。就我所知，此种人终必灭亡，而仍不克使其本身及其国家免于受难。如果印度诉之于武力，她可能获得暂时的胜利。然而，这时的印度，再也不复是我心中之宝了。我之所以紧依着印度而不忍弃之以去者，原因是我受惠于印度者实多。我绝对地相信，印度对于世界，负有一种伟大的使命。

他曾如此雄辩地申述过他这种政策的精神。当时，我们都被他所感动，诚意地为他的忠实信徒。因此，这一次的反感，也十分大。可是，不管满意或不满意，我们大家都一律困于监狱之中，也无可如何了。

不过，运动停止之后，在政治上所产生的坏结果实为不小。一方面使士气颓丧，一方面，使从前蛰伏不敢动的分区自治派（Communities）有机会东山再起，卷土重来。其后数年，他们的势力，大为增涨，在客观上协助了英国对印度的分化手段。

我被捕以后，判处六个月的徒刑。父亲的徒刑，也是六个月。不过，我们二人的罪名却不同。以政府方面而论，既然国民大会的工作人员如此公开地工作，不难由我们的讲演之中，找出很适当的犯罪证据。可是，当时对于父亲的罪名，却引用一个很有趣味的，即是认之为非法团体的国民大会义勇工作团之一员。惟一的证据，是他的签名。

我的罪名，是分散通知罢市的布告。这行动在当时，根据法律，并无明文规定其为犯罪行动。——虽然，我相信现在一定成了罪名了，因为，我们不是渐渐地走向自治领地位了吗？虽不算犯法而终于仍被判罪。当出庭受审之时，我们一律都不曾辩护，只侃侃地略为陈述对政治上的意见而已，让裁判官自行裁判。

我的案件，被判决后，执行了大约三个月光景，忽然在狱中接到通知，说，我之被判处罪，是冤枉的，经检察官认为无罪，要予以释放了。我听了以后，反觉奇怪，因为我并无人在外面替我申诉，何以会忽然来此结果呢？这大概因为文明抵抗之停止，使久久不工作的检察官们，又开始活动了罢，但是，这消息反而使我不悦。

因为，出狱虽是好事，离开狱中的父亲，却不大好。但，不管如何，终于出狱了。——这便是我的监狱生活的第一次。

出狱以后，我马上到阿拉哈巴德去会甘地咭。我抵达之时，他业已被捕，我和他的会面，系在沙巴马带（Sabarmati）的监狱之中。审问甘地咭的时候，我也曾在场旁听。裁判官是位英国人。甘地咭受审之时，从从容容地作了一次长而动人的陈述。使听者动容，大起敬意。我回来之时，他的那种慷慨的言词，萦回脑际，久久不忘。

这时，我身在狱外，反觉寂寞。因为很多朋友和同事都困于狱中之故。当时的国民大会机构，已经很不灵活了。我便决定重新整理。

这次运动虽然停止，而英货抵制，却仍在继续之中，尤以衣装业之抵制英国布为最有力，最有效。差不多全体衣服店都用土布。他们并且组织有“衣商协会”，监督抵制之工作。那时，因为有一家商店，暗中购用英货，我们便以集体的力量，压迫他。结果他遵章承认罚款，款项交给“衣商协会”。同时，我们还要他重新宣誓抵制外货，他也遵行了。

可是，这件事的后果，是我又二次被捕入狱。同时被捕的，还有一些和我一块儿去与那一家西服店谈判的同事。我们大家都算犯了“吓诈勒索”之罪。我的罪名，除此而外，还加上“谋叛”一桩。经过了三次法庭的审判，我都不曾辩护，仍照老例作简短的讲演完毕。结果，一共被判了一年又九个月的徒刑。

这是我第二次的入狱。从第一次出狱之日算起，到这一次入狱之日为止，我一共在狱外生活了六个星期光景。

一一　国民大会的分化

自一九二一年以后，政治犯之入狱，已经是司空见惯的事体了。印度人民对于坐牢的观念，也改了不少。自从反对孟加拉分省分区问题以来，入狱者即已日见其众。大战结束，情形更甚。当时的革命领袖蒂拉克先生，已近晚年，仍被判六年的长时期徒刑。阿里弟兄和阿沙德（Azad）[1]等，也长留狱中。到旁遮布惨案发生后，更是大批入狱，而且，多半犯的是"谋叛罪"。自此时起至一九三五年左右为止，据估计约有三十万政治犯入狱。不过，其中的一部分，系以别的罪名被捕罢了。有的人受判无期徒刑，有的出出入入，不止一次。很多人只好设法使其生活方式，适合于监狱环境，以便应付当日的印度局势。最初一次，对于入狱一事，谁都多少有

[1] 阿沙德即现在（一九四二年）的国民大会主席。

一点特殊感觉；后来就变得非常平常，大家都满不在乎了。

我第一次入狱那一次的情形，是十分有趣的。入狱者数目之众，竟出乎管狱官之意料外。而且，这数目还天天增加。同时，这些新型的犯人和从前一般的囚犯，又大异其趣。因此，有很多对付囚人的老方法，此时已不适用，而同时又无新的规定可资援引。这是最使管狱人员无法处理的。国民大会的这一批政治犯，虽说在领导者方面，是抱着与管狱官合作的态度，但是，一般的普通工作人员，即使身在狱中，也仍对政府人员采取攻势态度。一方面，因为同伴的数目甚众，一方面，狱外的群众，又同情拥护，所以，大家脾气都很大，十分难于管理。有时，管狱官只好来把我们领导分子请去，对那些国民大会工作人员谈话，叫他们安静一点。要是不这样，管狱官们更不知要麻烦到如何程度。这些犯人，都是自愿入狱的，甚至有一部分连政府不去逮捕他们，也自动地跑了来。所以，逃狱一事，是不可想象的事。勒克瑙的监狱署长，甚至于曾对狱中一个司阍者说，如果他能设法使国民大会的囚犯逃狱，他可以想法把他擢升。然而，这些囚犯却从不想到逃狱，使他无法可想。

一般的工作者，都给分别关在大牢房里，我和父亲等十八人，是给特别选出，予以优待的。我们十八人共居一室，可以互相讨论问题，可以看报，可以接见亲友，还可以到那些大牢房里去和我们的工作人员说话，并且还开班教授身毒文（Hindu）、乌图文（Urdu）以及其他基本科目等等。不过，后来管理渐渐严格起来，这些活动也就渐渐减少了。正当管理逐渐严格之时，我的第一次狱中生活结束，被释放了。

这次再度入狱时，已是四月内，回狱中一看，情形已经大变，不能和从前一般自由了。我的父亲，已被转送到赖力他耳（Naini Tal）监狱中去。别的同志也关入了另一个大牢房。彼此之间，不能往来了。吃的饭也比从前越来越不行。不过，我每天用的食物，却可由外面送进来。这种管理之进一步严格化，可说是政府方面的一点小小的报复，想让这些政治犯们受一点苦，这才会悔悟反对英国政府之不智。但是，结果却激起了反感，我们全体决议拒绝见客，以此为抗议手段，向当局抗议。这样一来，便形成了监狱当局与国民大会政治犯之间的冲突。后来，当局方面，察觉是一部分人的煽动，设法分居，以图减少麻烦。但是，往往麻烦问题还是绵绵不绝而来，使管狱官大感头痛。我后来被送到另一个牢房去，与其他同志完全断绝，同时与外界也断绝。因为，此时政治犯已经不许阅读报纸了，我只好乘此机会坐下来读了很多书籍。

虽然没有报纸好看，而我身在狱中，仍能获悉外面的情形。这些消息本身，会自然而然地由门隙挤进牢内来的。主要是靠外面亲朋们到狱中来拜访时的谈话，还有狱中许可的定期通讯。

这时，国民大会已经起了分化了。甘地咭还在狱中，我的父亲则以期满出狱。国民大会分成二派，第一派为“修改派”（Pro-Changers），这派的领袖为达斯和我的父亲。他们主张把运动手段加以修改。主张参加政府立法议员之选举，如果可能，去占据立法议院的席位，借此以影响政治。另一派为“维持派”（No-Changers），主张国民大会不合作运动的政策，应一丝不予修改地继续推行。当时，我身在狱中，当然不可能作何种主张。但是，我却同意“维持派”的意见。因为，“修改派”所主张的修改，其实是变相的屈服。

外面的这种变化，在狱中无法予以影响，我便只好决心于狱中生活。每天的时间，一部分消磨在运动之上，大部分则用以读书。常时围绕着牢房跑步，借以锻炼身体。有时，和一二位同居囚犯，到附近牢房的一口水井去用桶汲水，以这样的方法灌溉狱中的一块菜园。

我生性喜欢读书，这种对书籍的爱好，在造成我的整个人格上，厥功不小。在狱中，我仍时时读书。我记得有一天，那位联合省的监狱总检察官，见我正在埋头读书，乃喟然叹息，说，他自己不幸竟在十二岁（!）的年龄上，与书籍断缘了。我听了这话，心中想，这“不幸”，也许正是“幸”，因为，只怕就是这位先生之所以能够免于政治苦闷而竟获擢升到今日如此之高位的原因罢！一个殖民地的人民，如果在教育上多受了统治者的教育，或者，完全不受教育，这对于统治者，是多么有益的呢？只可惜事实不会如此。完全不受教育，或者，百分之百地受了统治者的麻醉教育的事，永远不会有。因此之故，彼此之间的冲突，也永远不会停止。

在我们困处狱中之时，在里面一日一日地平静地消磨我们的时间。狱外的工作与苦楚，都落到我们的妇女同胞们的身上去了。她们的丈夫儿子，都在狱中，便只好挺身而出，在家庭中负上了他们遗下的任务。

在一九二一年的逮捕开始以后，警察便时常到我的家里去找麻烦。主要是去索取我和父亲二人应缴纳的罚金。——当时的不合作运动，是主张不缴纳任何一种罚款的。所以，警察到了我们家里，便查封家中用具，有的擅自变卖，有的简直顺手携去。这种劫掠行为，无形地又造成了我那位时才四龄的女儿英底娜（Indira）未来的奋斗生活。因为，警察们的这种举动，一一在她的眼前表演，在她的小小心灵之中，印下了永不磨灭的印象。

在狱中的生活，使我更进一步地认识了英政府的残酷，更具体地了解它。监狱当局用尽方法使我们不能和普通的犯人接触，可是，这是无用的。结果，我们很多的政治犯，对于普通犯的情形，都看得十分清楚，知道了很多事实。看出他们在狱中过着一种非人的生活，吃着一些不能入口的食物。经常地被管狱员们勒索金钱，而且，这种勒索遍及其亲友。其苦难情形，不一而足。

后来，国民大会的政治犯们出狱以后，在狱外替这些普通犯人呼吁，主张改良待遇，结果，这才稍稍改良了一点。不过，一般地说，那种勒索行为却从未消灭。对于我们政治犯，这种勒索行为，当然无法施行。因此，他们对我们也就感觉到很讨厌，很无用。只要一有短处给他们拿到，便赐予一阵苦打。我在狱中曾经亲眼看见过一次，有一个十六七岁的青年，不知是犯了狱内的什么规矩，给他们吊起来鞭打。这位青年是一位有志气，有胆量的，每受一鞭，他便大叫一声："拥护甘地！"一直到打得半死，打到晕迷过去之时为止。后来这位青年出狱以后，变成了在印度北部活跃着的恐怖团的领袖之一。

一九二三年一月三十一日，勒克瑙监狱的政治犯们，一律被开释了。我也因此出狱。这，结束了我的第二次监狱生活。离开监狱，是使人高兴的。但是，一出牢门，看见国民大会的政治活动十分沉寂，又感到苦闷起来。

一二　格林武德爵士的引诱

我由狱中回到家中，接到的第一封信，是由一位叫格林武德爵士（Sir Grinwood Menrs）寄给我的。格林武德当时是阿拉哈巴德高等法院的首席裁判官。这信分明是在我被开释之前写来的。当然，格林武德是早知道这一天要开释了。信中用词遣句，极为客气，他请我时常到他家去玩。信中充满了热情。格林武德我是认识的。格氏到高等法院来的时候，是一九一九年。那时，我正在要摆脱我的律师职业，因此知道是知道，却并不熟习。记得我在格林武德出庭时，只辩护过一次。那是我的职业的最后一次的执行。后来我碰到格林武德时，格氏对我说，他自己为了某些原因，非常愿和我交游。他并且把他对于印度革命的意见告诉我。据他说，印度人与英国人之间之所以有冲突，主要的是由于私人方面的原因，并非政治上的原因。在印度革命中的急进派的领导者们，差不多有很多都是因为受了英国人的气，所以走了极端的路。他以为要解决英印冲突问题，便应该由改良个人之间的态度开始。主要的方式就是促进英印人士彼此间的友谊。

格林武德这种了解，正确与否，那是另外一个问题。可是，这确实可以代表当时很多英国人士的见解。当时曾经有着很多这一类的谣言，其中之一是说：我的父亲本来是不做革命工作的，只因为有一次一个英人俱乐部拒绝他加入，他因此含恨在心，以后便渐渐地走上反英国统治的革命道路上去。其实，这是完全无稽的。父亲根本就没有碰到过这样一件事。事实上，我和父亲两人，都有着很好的英国友人，而很多英人对父亲均极敬重。

此后不久，格林武德借某桩小事，到我处来谈了很久。这一次谈话是很有趣的。他闲谈不久，便在我的面前大骂温和派人士无气节，不争气。并说，英国人士实在看不起他们。他骂得十分起劲，心中以为我既然主张急进，骂骂温和派，必然可以引起同感。但是，我心中却莫明其妙，不知道他为什么会对温和派如此不敬。并且为什么在我的面前来发泄。但是，格氏还不断地说着。到后来他称赞我，说我如何有主见，有人格，有毅力。甚至很公开地说，如果我这样的人出任政府中的教育部长，必可大施天才，使印度人民得充分的教育机会，而借此使印度能很快有自治之能力，还说他愿向总督推荐。我听了以后，漠不动心，好像没有听见一样。他这才知道他自己的话跑得太远了，赶快收回来道："当然，这不过是我个人私下的考虑而已。"

在我心中，出任政府的部长，简直是不可想像的事体。听了以后，付之一笑。我后来也未尝不考虑及诸如此类的问题，也曾想过是否可以去做一点属于正面建设的工作。但是，这种想法只是昙花一现而已，我马上就感觉到，印度当然必有积极地建设的一天之到来。可是，在我们这一代人，其任务不是这。这样的任务，恐怕要交给我们的儿子辈去，甚至可能要等候我们的儿子的儿子哩。

当时我专心致志于各种实际活动。在另一方面虽然对甘地咭的领导是十分信仰的，不过，对于他的一些计划，一些主张，渐渐有着很多怀疑。然而甘地咭此时仍在狱中，亦无法面请指示，只有自己在心中犹疑着而已。

自一九二三年以来，我感觉到我的家庭常给我以很大的安慰，尤其以当我处于困难之境时为然。茄梦娜本是一位聪明而自傲的女子，然而在我需要安慰之时，她却终于能够忍耐使我满足。

自一九二〇年以后，我的家庭中的生活方式便已大大改换作风。从前的堂皇模样已经渐渐减少了。仆人用得很少，用具也一部分卖了出去。对花园，一方面由于无趣味，一方面想节省，也就马马虎虎，不似从前那样加意修饰了。我的父亲本是习惯了奢侈生活的，一旦大改作风，他最初过不惯。但是，他却立志学习，决不想恢复以前的生活而破坏自己的事业。后来为了增加一些收入以作家庭开支，父亲便在自己的办公室里做一些律师工作，仍不到法庭上去服务。可是，他却不愿意使我因家事分心，所以从不赞成我抛开革命工作去做可以赚钱的事体。不过我常感觉到这种在生活上对父亲的依靠过大，心中老大不快。其实我和茄梦娜二人所化的钱也很少。我自己穿着土布，不用洋货；走路则乘坐三等车，每年所费甚微。不过我也不拟长此下去。对此问题曾经考虑很久，终于无法解决。本来我要找一个赚钱的职业，是十分容易的。可是，这一定要破坏至少是减少我对国民大会的工作。抛弃大会的工作来赚钱，我又决不愿意。因此有很多相当好的大企业公司请我去任相当赚钱的职务时，我都一一拒绝了。我心里明白，这些大公司之所以请我做事，目的不在于使用我的办事能力，主要是想在政治上缩减我的活动，因此我不肯接受。待要重振旧业，而于律师一职，我实在已经厌恶达于极点。所以，对这样的问题，结果仍无法解决。

一九二四年的时候，曾经有人提议，国民大会的主要工作者应该给薪。我心里觉得这倒也未尝不好。因为这样一来，可以使我不必依靠父亲。然而，这给薪的提议，反对的人甚多，无法通过。我的父亲更大大地反对此事，还有我的一位同事，他本人也十分需要钱，然而，他也反对。结果不能实现。国民大会的人员仍然继续不取报酬地工作下去。

我心中知道父亲如果知道我在打算着经济独立的问题，一定会伤心。所以总不敢提及。有一次在谈话之中，我温和地委婉地暗示到这一点，父亲便说我真是笨得很，竟笨到去考虑这一类问题了。他说，他自己在几天以内的工作，就可以得到我们夫妇二人经营一年才能得到的数目，叫我不要在这一方面担心，好好地做国民大会的工作去。我从此不敢在他面前提及这样的事了。

一三　印度土藩王国的行政

一九二三年秋天，国民大会在德里开会，我参加会议后，便遇到一次意外的事。

在旁遮布这个地方，塞克教徒（Sikhs），尤其是其中的阿克里斯人（Akalis）常时和英国政府起着大大小小的冲突。有一次，派细亚拉（Patiala）和那巴（Nabha）这两个塞克教的土藩王国大君之间，发生了争端。争端的结果，英国政府取消了那巴国大君的职位，另外委了一位英国的行政长官去统治那巴国。塞克教徒大大反对，在那巴国内外都提出抗议。有一天，在绝依多（Jaito）这个地方的一个宗教性质的集会被政府禁止举行。塞克教徒为了抗议这事，便派了很多群的人到绝依多去，一定要继续举行集会，以当示威。这一群群的人，塞克教徒名为“甲他”（Jatha）。这些“甲他”给警察阻止了。

警察们任意鞭挞他们，并且把他们捉到很远的森林中去，便把他们放在那绝无人烟的地方。这次国民大会闭幕时，我听说塞克教徒又正派遣大批的“甲他”继续前往。他们并且请我们前去参观。那时，因为这些“甲他”就在离德里不远的地方，去看看，也不过花一二日的工夫，我便决心到绝依多去。同行的还有这次出席国民大会的代表季晚尼（Gidwani）和桑他那蒙（Santanum）二人。我们计划抄袭另一小径直到那巴国境的一个车站上去时，前进着的“甲他”正好到达该地。当我们走到绝依多的时候，那位英国的行政长官下了一道命令给我，不准我走入那巴境内，如果已经入境，便得马上退出。同时还有一道命令给我的两位同伴。我当时便对送命令的警察官说明，我们一行三人，并非那些“甲他”之一部分，是当着旁观者而来；同时，也决无违反那巴国任何法律的企图。再则，此时业已入境，未入境的情形当然已不存在。现在既已入境，而下一班由此地开出的火车又在数小时之后，我们又不能忽然之间化为乌有，只好准备在绝依多勾留一夜了。于是，不容分说，被捕了。“甲他”到来之时，也被同样地以野蛮方法对付。

我们被捕以后，马上给关在一间小屋内，关了一个整天。夜里，徒步到火车站去，加上了手铐，由警察像牵狗一样地牵着，走过绝依多的大街，又送上火车，关在一间小屋里，连夜送到那巴监狱里去。一路气也不是，笑也不是。到那巴监狱后，又给关在一间又脏又臭的小牢房中。手铐带着，两人合铐一处，动一动也得两人合作。晚上睡又睡不好。我常由梦中惊醒，原来是一只老鼠或一只小猫由我脸上跑过。其苦真是一言难尽。

关禁了三天以后，开审了，审问者连书也没有读过，不认识字，胡乱地说了一阵。我们也无法辩护，也不想辩护，因为那巴国的法律是奇奇怪怪的。然而，案子虽极其简单，审问却经过了很长的时间，未得结果。几天以后，忽然又给带到另一间小屋内去，又是另外一批人来审问了。案情也变了。前几天问的是"抗令入境"的罪，这一天问的是"谋叛罪"了。由逮捕我们的那位警察官起诉，还捉了一位根本无关的塞克教徒来证明同谋。而这位塞克教徒我们并不认识，只在绝依多车站上看过一眼。

我本人是做过律师的，看见一桩谋叛案竟如此轻易地开审，大为吃惊。这案子完全是假的，但却又一定要经过一次司法手续，我便提出质问，指出我们事前并未接到通知，而我们是应该布置自己的辩护事宜的。可是法官却理也不理。关于应该准我们被告聘律师代为辩护一节，说道，如果要请律师，应该就地聘请，不能由外面请来。我们只好静候裁判了。但是，问了又问，毫无若何结果。这时，我们只希望他快点裁判，如何判决都不管。每天都等待着被提出去审问，因为这等于暂时逃出了那间又臭又脏的小而湿的牢房。但，案子却老是拖下去，不得结果。同时，监狱署长又私下代表着行政长官来对我们说，如果我们愿意表示悔悟，并且给予保证，不再来那巴国，案子即可了结，放我们回去。我们对他说，我们并无何事可资悔悟，要表示悔悟的反而该是行政长官。同时，也拒绝给予任何保证。这样，又继续被拘押下去。

被捕后半月之久，审问终于结束了，而且判决了。如何判决，也并未把判决书读给我们听。只简单地告诉我们说，因为抗令入境，各处以六个月的徒刑。至于“谋叛案”亦于同日判决，好像曾处以十八个月或两年的徒刑，我忘记了。两者一共是两年或两年半的监禁。——就这样无法无天地判决了，我们亦无可如何。

这次事件，使我有机会认识印度土藩王国国内的行政，或者说英国的政府在土藩王国内的行政之一塌糊涂。在我，已经在国内的政治上相当有名气了，尚且受到如此莫明究竟的待遇，其他不出名的人们之命运我不知道要成什么样了！

我的父亲对于土藩王国行政之无法无天，本来知道一点。他得知我这次意外被捕，知道不妙，甚为焦急。可是，除了知道被捕而外，别无所知。无从得到更多的消息。他甚至于打电报给印度总督，打听消息，但也毫无结果。他要到那巴国来看我，也多方受阻。最后才获得允许，可以在狱中一会。父亲在那巴狱中见了我时，他对于此事，也无以为力。因为我本人对于此案毫不辩护。我劝父亲自己回家去，这事并不打紧。他只好回去，但仍不放心。结果，留下一位年青而能干的律师，请他在那巴照顾我的案件。可是，这位很能干的律师，也毫无办法。

印度的土藩王国的行政，多半如此，一半是封建专制，一半是现代的独裁。而在英国行政长官直接统治的那巴，还加上英国的假而空虚的民主机构，结果是一个不伦不类的东西，便也做着不伦不类的事。这位行政长官，是印度文官部之一员，只向印度政府负责。照英国法律，本有些基本人权可以享受。然而，他可以引用那巴国的法律来否认我们的这种权利。所以，我们得对付两种机构：一个是封建制度，一个是现代官僚机构，他们混合起来，我们蒙两端之不利，无一端之利。

我们就这样被判了长时期的徒刑。究竟判决书的内容如何，不得而知，我们请求照抄一份，但是，上面的答复说，要用正式的手续请求。

那一天夜里，监狱长忽然叫了我们去。把手中拿着的行政长官根据刑事诉讼法的一道命令给我们看后说，我们的罪予以缓刑了。此外还有另一道命令，是属于行政命令，是叫我们马上离开那巴，以后如无特别允许，不许重来。这命令也是由行政长官发出的，我要求抄一份这两道命令的内容，但是，他不许可，当夜又把我们三人装上车，押解到铁路车站。就在车站上予以释放。当时我们三人在那巴一个认识的朋友也没有，并且城门也因为夜深关了，只好离开那巴，乘开往亚蒙把那（Ambala）的最后一列车到亚蒙把那，我再从亚蒙把那回到德里，回到阿拉哈巴德。

我们三人算是“缓刑”了，那第四位的塞克教徒的可怜虫，却毫无消息，不知究竟下落如何。很可能含着不白之冤，永远沉沦在那无底的深渊里了。

回来以后，我们三人都由那小而湿的牢房里带了很多伤寒菌回来。三人都患过很重的伤寒病。我的病状在三人之中，要算最轻，只在床上病了三四个星期。其余二人则病了相当长久的时间。

是后大约六个月以后，季晚尼又在国民大会中充任代表，并被派与塞克教徒的团体接触。那时，塞克教徒又派遣了一个“甲他”到那巴去。季晚尼又决定和他们一同去，仍然充当旁观者。此时已具戒心，决定不走入那巴境内。这支“甲他”一到边境，警察就向他们开枪扫射。结果，有很多人死伤。当时，季晚尼看见有人受伤，急忙上前救护。忽然之间，警察蜂拥而来，把他拖了就走。交给那巴监狱后，问也不问，就监禁了很久，一直到身体完全弄坏以后，这才放他出来。

当季晚尼被捕未放的时间，我写信问那行政长官，为什么如此乱来。他回信说，季晚尼抗令入境，所以予以监禁。我又写信质问他为什么逮捕救护受伤人员的人，他就索性不理我了。我无法，决定亲自到那巴去让那位行政长官也像对付季晚尼那样对付我。但是，我的同事们的想法却两样，劝阻了我。我没有去，心中大感不安，觉得非常之对不起朋友。

一四　印度教与回教

一九二三年在南部的科科那达（Coconada）召集的国民大会，会议主席为谟罕默德·阿里（Mohamad Ali）。阿里劝我充任他任内的国民大会全印委员会的秘书职务。我当时很不愿意充任此职，主要原因，是我自己以为自己对于整个革命局势以及革命目标等，还缺少很明确的认识，顶好还是以不担任如此重要的职务为好。然而，照常时的情形看来，除我一人而外，能够和主席阿里合作得很好的，差不多没有人了。因为他是一位个性很强的人，有着极强烈的爱恶。而我便算是他所爱好之人之一。结果我只得答应了。

在阿里的主席任期内，我和他过得很好，意见极为融洽。不过，也常时有着一些很小的异趣之处。有一次，我提倡在国民大会内，同志之间的称呼，应该予以改良。把印度习俗所特有的那些称呼如“麻哈子妈”(Mahatma)[1]、“莫拉那”(Maulana)、“伴特”以及“慕洗”(Munshi)等等，一律取消，直呼其名。一来表示平等，二来表示亲热。不料，这样的建议，却遭到很多人的反对。阿里发了一通电报给我，说，他以“主席”的资格“命令”我停止此项改革计划。对于甘地咭之称为“麻哈子妈”，尤为不可更改。结果我遵命了。在万能上帝的问题上，我们之间，也常有争议，阿里时常提到万能上帝，因为他是信教的人。他甚至在国民大会决议案中，都要加入宗教的词句上去，每当此时，我便很严厉地指责他不应该把这种宗教性质的观念加入政治理论之中。这种指责，触怒了阿里，使他大发雷霆。不过，脾气发了之后，却又很委婉地解释说：“加瓦哈拉尔在表面上不信宗教，而基本上说来，其实还是笃信着的。他那么反对我，也不过口头说说罢了，并非有心的说话。”我此后也就力求避免和他提及此类问题。因为，我知道不相信宗教，总会使阿里伤心的。

[1] 麻哈子妈，直译是“大魂”之意，有的人译为“圣哲”或“圣雄”，这是印度人特别用以称呼甘地的，十分尊敬。我用的是音译。

阿里对我，也非常之诚恳。不过，在政见上，我们之间总不免也有些不同。我和阿里，后来在一九二九年国民大会的那哈尔（Lahore）大会时，作最后一次会面。那时，我对于印度革命的见解，在阿里的看法，已经大大地较前为急进了。阿里便很严格地批评我那篇充任主席时所发表的主席致辞。并且很直率地警告我道："加瓦哈拉尔，我警告你，你现在的同伴，将来会遗弃你的。他们将来会在危急之际抛掉你。你自己的国民大会的同志，将来就会把你送上断头台的，请你留心罢！"

科科那达会议闭幕以后，我于一九二四年回来，回来之后，又碰到一桩有趣的小冲突。

在阿拉哈巴德的恒河和赞木纳河的交流处〔俗称三江口，因为俗传神话上的沙那施瓦蒂河（Saraswati）也在此交流〕，印度教徒常时举行他们一种宗教上的沐浴。一九二四年的时候，河口的水流甚急，足以危及人命。政府便决定禁止本年在三江口沐浴。这事马上引起了冲突。主要的反对者便是大乘会的领袖马拉维亚咭（Madan Mohan Malaviya）。他已经公开地在报纸上主张必须举行沐浴，而且，在宗教的观点说，一定须在三江口才行。

英国政府对于这样的事体，本可以设法和平解决，而政府总老是用一套死硬的办法，非禁止不可。

那一天到来了，我清早便到河边去。主要想去看这一次大集会的情形，倒也并不想参加沐浴。那天，马拉维亚已经向政府致送了最后的通知，请他们取消禁令。而警察毅然拒绝。马拉维亚便和差不多二百名左右的同志，蜂拥到河口处去。我也加入队伍了。这时，当局已在该处设立了高大的障碍物，把下水的路阻挡着。同时，大量的警察和军队，都已集中起来，把这几百人包围着。只不许我们下水，也不对我们加以伤害。马拉维亚便也不下水，就地坐下来了。我们大家也就跟着他坐下。当日日光极烈，直射人头，我们也不去管它，一直坐下去。

大家在地上坐了大半天，陆军的骑兵队也围绕着四周，他们似乎也感到疲倦了。我们都很饿，然而，谁也不想对政府屈服。我坐得不耐烦了，便一跃而上，到那木柱堆成的障碍物上去。有的跟着我，甚至把木柱也拔起几根来，结果开出了一条通路。静坐地上的人们，又热又渴，非常想下水去。但是，大家都不便发动。停了一会，马拉维亚似乎忍耐不住了，便不顾一切，纵身跃入。其余的人也随着一律下水了。警察及骑兵等最初设法阻止我们，后来阻止不了，也只得不管了。结果是大家胜利，凯旋而归。

回来以后，我们都以为政府也许又要来逮捕我们了。大家也存心等候着入狱。可是，政府却竟一声不响，大概是不打主意触犯马拉维亚，这一桩小事体也就不了了之了。

本年年初，甘地咭在狱中大病的消息传出来了。这消息震动了整个印度人民，大家焦急地担心着他的安全。政府也因此惧怕起来，赶快把甘地咭由狱中抬出，送到医院去医治。但是，罪仍未赦免。各地的人民，都纷纷集到浦那的医院去看他，不过，医生却只准许少数人会见，我和父亲便进去看他的病。

甘地咭的病，危险期过了，便渐渐地好了起来。政府也不再把他送回狱中去了，并趁此机会把他的徒刑免掉。本来判决六年，这一来，只坐了两年。出了医院以后，甘地咭到附近孟买（Bombay）海岸的局胡（Juhu）去休养。

这时，我的父亲正和甘地咭在政治意见方面，有了冲突。他已经另组自治党了。甘地咭迁到局胡去休养的时候，我的父亲也把家庭暂时搬到那儿去。他的主要目的，想借此多和甘地咭谈谈，争取甘地咭，使他在政治上同意他的主张。至少，想获得甘地咭消极方面的不反对。可是，经过了不少次数的友谊的谈话，父亲的企图，仍然失败。不久也就离开了局胡，搬家回阿拉哈巴德去了。

在局胡勾留之时，我也和甘地咭谈了很多次。我把我从前对甘地咭政策执行方面的疑惑提出问他，并询及整个革命的前途和他的政纲。可是，他却没有给我一个确定的明白答复。我回来时，心中也感觉不满。

甘地咭自从在印度的政治活动界出现以来，他的威望是日高一日的，从来不曾退后过。此情尤其以在群众之间为然，大家都把他认为是一个无条件的唯一领导者。虽然在知识分子之间，对他的尊敬和信仰，时有盛衰。然而，他到底是我们一切人的领袖，谁也不愿意去公然反对他。即使甘地咭有些地方明明使我们不满意，我们也愿意在小的地方容忍下去了。我在政见上，可以说和他相差了很多。然而，我总仍信仰着他，愿意服从他的命令。

一九二四年的国民大会，系在比尔高蒙（Belgaum）召集。这次是甘地咭亲任主席。本来甘地咭已经是国民大会的永久领导者了。这次之亲任主席，是因为当时外部内部的问题，都很严重的原故。在此次会议，我由于甘地咭坚决的主张，又继续充任秘书职务。也似乎渐渐地成为永久的秘书了。

在这一段期间内，国民大会对内的主要工作，便是调解印回间的冲突，使其能在政治活动上采取同一的步骤。印度教与回教，在印度几乎成了死对头，到处都是冲突。这种冲突，多半是宗教上面的。其冲突的原因，往往是微小的生活上的小事。如以牛作牺牲一事，便是一桩多年以来无法解决的冲突原因。又如回教徒反对在他们的清真寺之前，有任何的乐声发出。尤其在他们祷告之时，更须万籁无声才行。可是，在另一方面，印度教的庙宇，却又时时打钟敲鼓，闹个不休。有时一遇集会游行，更把全条街道，弄得闹哄哄的，极为吵闹。而往往印度教庙宇大敲钟鼓之时，又恰值回教徒祷告之际。因此之故，冲突几乎日日发生，有时甚至于为此流血。影响所及，在政治上便不容易采取一致的态度。一直到近年以来，这种情形，虽略有改进，然而，彻底的解决，仍然没有办法。

一九二四年，经双方领袖的努力，结果在德里开了一次联席会议，觅取合作基础。会议之进行，情形尚称良好。可是，在事实上，刚刚在联席会议闭会不久，阿拉哈巴德便发生一次很大规模的印回械斗。我赶快回到阿拉哈巴德。到时，械斗已过。不过，接着还有不少的流血事件和历时长久的案子，都是这一次大械斗的后果。

在一九二三年到一九二五年这两年以内，我曾负责进行阿拉哈巴德区的市政工作。负责期限本定三年，但是，我开始工作以后，感觉政府方面掣肘之处太多，屡欲摆脱此项工作。但是，同事们坚持要我负责下去，我也只好继续着。到一九二五年的秋天，因为要到欧洲去，三年未满，终于摆脱了。

一五　欧洲之游及不鲁塞尔会议情形

一九二五年秋天，茄梦娜大病，在勒克瑙的医院中，卧病数月，仍无起色。这时，国民大会在孔坡开会。我自己还充任着秘书职务，因公因私，仆仆于勒克瑙、孔坡和阿拉哈巴德之间。后来，有人建议把茄梦娜送到欧洲去医治。这意思，我本人很赞成。因为，除了茄梦娜的病一个原因而外，我自己也想不妨暂时脱离印度政治，以几个月的光阴，到欧洲去生活。由远处以旁观者的态度，看看印度政治，仔细冷静地想一想。一方面，去呼吸一点西欧方面的最近空气。也许，这于我个人和印度革命都有益处，便决心和茄梦娜到欧洲去。

一九二六年三月初，我和茄梦娜及我们的幼女一起三人，由孟买起身，坐船到威尼斯（Venice）去。同行的，还有我的妹妹和妹夫雷吉特（Ranjit S. Pandit）。

此次欧洲之游，对于我个人的影响极大。我自从前次由英国回印度以来，已经十三年之久。这些年头，是充满了战争和革命的年头，我所熟知的老世界，业已死于战争的血泊与恐怖之中，一个新的世界正等候着我。这次到欧洲去，本来只想勾留六七个月，不料，结果却一共住了一年又九个月之久。

在欧洲的生活，于我心身双方，都可以说是一种休息。我们的大部分时间，系消磨在瑞士，在日内瓦，在蒙他那（Montana）的一个疗养院里。我的二妹克吕惜娜（Krishna），一九二六年夏天，由印度来欧，一直就和我们一块儿生活。

我很想到欧洲各地去游历，最初因为茄梦娜病重，不便长久地离开她，未得尽兴；后来，她的病好了一点，我们这才一块到英国，法国，德国等地去游玩。在日内瓦的时候，我对于国联和国际劳工局（International Labor Office）的各种活动，很感兴趣，因此，也非常之注意它们。

身在欧洲，我自己觉得和印度革命暂时脱离了。有时，自己一人化了很多时间，以一个旁观者的地位，去注意和研究印度的各种活动。有时，则去学习滑冰。生活是极其平静的。后来，茄梦娜的病完全好了。我们还得和一些印度被放逐的革命者会面。对于他们，我很同情，同时，觉得他们渐渐与印度的实体远离，也渐渐要给印度人士忘记了。我们还碰到很多漂流于欧洲各国的印度人士，他们之中，有很多对于印度问题，缺乏清楚的了解，却又高声地大谈各种激烈的革命主张，好像有意要引起英国秘密警察的注意似的。我对此深表不满。

除了印度人而外，我们当然还碰到很多英美人士。曾因甘地咭之介绍，和茄梦娜到维伦鲁夫（Villeneuve）去看过罗曼·罗兰（Romoin Rolland）；也会见过德国的青年诗人及戏剧作者多勒（Ernst Toller）[1]等。

在我们到达瑞士不久，英国当年的总罢工便开始。我得知这消息，心中十分兴奋。我是完全同情于罢工者方面的，痛恨着英国的资本家阶级。后来，罢工崩溃，消息传来，我心中极为悲愤，感觉得像是自己个人的失败。不久，我到伦敦去玩了几天。那时，总罢工业已停止，然而，部分的矿工罢工，却仍继续着。我曾亲自到德比

[1] 多勒后来给希特拉放逐了。

夏（Derbyshire）的矿区去看过一次。看见工人们的生活条件，十分恶劣。大家都面黄肌瘦，十分可怜。罢工之后，罢工的案件，由政府审判。审判官们之中，有很多本人便是工厂经理之类的人物。因此，工人们受到很残酷的处治，多被判决处以很长时期的徒刑。他们的妻室，也因此受到无理的待遇。曾经有几个矿工妇女，只因为对破坏罢工的工人们讥笑，即被判处徒刑。我这次在英国，看了英国资本家种种无耻举动，心中极为愤懑。同时，也在英国工人的斗争里，看出资本主义制度埋伏在工人阶级里的大危机。

一九二六年年底，我到柏林去。当时，在柏林，盛传着有一个国际被压迫者联合会议（Congress of Oppressed Nationalists）即将在不鲁塞尔（Brussels）召集。我听到这项消息，心中很赞成。马上打电报到印度去给国民大会，向大会建议，应由国民大会正式派遣代表，参加此次会议。国民大会同意了我的建议，并且，就委派我到不鲁塞尔去参加该会，代表印度国民大会。

国际被压迫者联合会议，系于一九二七年二月初召集。当时的柏林，和现在的完全两样。那时，这地方是全世界各国的革命者集中之地。共产党及各国工党左翼分子，都集中到柏林来。被压迫者一致联合以对付帝国主义的声浪，甚嚣尘上。主要的反对对象，是所谓拥有殖民地的帝国主义，如英、法、意等。当时的德国，系在欧洲大战大败之后，早已不复是拥有殖民地的列强之一了。因此之故，德国对于这种运动，抱着同情之心，并且还予以鼓励。这也就是柏林当时成为一切革命者集中之地的理由之一。这一运动的主要活动人物之中，有着中国国民党的人士。这时，正是中国国民党改组之后的事体。大会召集的动机，也许即出自国民党在欧洲的代表。拉丁美洲，因为都痛恨美国的经济剥削，由墨西哥领导着，反对美国。当时，墨西哥的总理，是一位急进党人。因此，政府政策，也很急进。拉丁美洲布洛克（Latin American Bloc），即为墨西哥所领导。因此，墨西哥政府，对于这一次会议，十分赞成。因为不便于直接以国家政府之名义参加，便派了他自己的优秀的外交家，到不鲁塞尔来，以来宾的资格，参与大会。

除墨西哥而外，还有爪哇（Java）、印度支那（Indo-China）、巴力斯坦（Palestine）、叙利亚（Syria）、埃及

（Egypt）、阿剌伯（Arab）以及北非（North Africa）和非洲黑人（African Negnoes）的各种组织的代表。欧洲各国的工党以及各种劳工组合的代表，也都出席。共产党在会场中，发生主导的力量。

大会主席为乔治·兰斯包雷（George Lansbury），他在会场上作了一篇非常激烈、非常动听的讲演，很使我感动。兰斯包雷不但充任大会主席，并且，决定担任由大会产生的常设机关——反帝同盟（League Against Imperialism）的主席。可是，后来他所属的工党，在英国将由反对党变成忠实于英王的政府党时，他借口多事过忙（其实，是他的工党不批准他的行动），辞去主席之职，甚至于连反帝同盟之一员的会员资格也辞去了。我后来看见他这种行动，心里非常看不起他。想不到两三个月之前，还那么激烈地演说着，而两三个月之后，便如此不争气了。我也因此看出英国工党的领袖们，究竟是些什么东西。

反帝同盟当时有着很多世界闻人参加，爱因斯坦（Einstein）便是其中之一。还有孙中山先生夫人宋庆龄女士和罗曼·罗兰等等。不过，后来爱因斯坦因为反帝同盟处理巴力斯坦的“犹阿问题”之时，采取了袒护阿刺伯的政策，他不赞成，自己退出了。

这次大会以及后来的反帝同盟的各次会议，对于我的影响甚深。一方面，使我更清楚地了解现代殖民地问题的真正解决途径，另一方面，也使我更进一步地了解欧洲工党的内部冲突。对于工党的冲突情形，我本来也略知一二。这次大会，使我得以清楚了解。当时，对于第二国际和第三国际，我的同情，是属于后者。因为，第二国际的真面目，已经由英国工党的领袖代表着，在我们印度给我们看得清清楚楚了。不过，在反帝同盟开会的时候，对一些小的问题的论争，我总常时站在英美同志一方面，至少在手段方面，我和英美同志往往有着相同的看法。我们都赞成一些短小而迅速施行的决议，反对宣言式的长而庞大的计划，后者是一种欧洲大陆的作风。在共产党与非共产党之间，也常时有着争执的地方。不过，我们遇此种情形之时，往往彼此同意一个折中的办法。后来，我自己回到印度去了，无法继续参加会议。

当时的大会，甚为帝国主义的国家所注意，这是不消说的。甚至代表本身，也有着一些便是帝国主义派来的密探。曾经有过这样一回事：我的一位美国友人，也曾参加大会。闭幕以后，他到巴黎去。在巴黎时，有一天，忽然有一个客人前来拜访，和他谈了很多问题。这位来客，原来是法国政府秘密情报部的人员。谈话完毕时，来客问主人还认识他不认识。主人审视良久，无法辨认，只好直说并不认识。结果，来客说道："我们曾经共聚一堂开会哩！那是不鲁塞尔会议，我是充当非洲黑人的代表，身体手足都用漆漆黑了的！"

反帝同盟，当然不是共产党的组织，不过，它一开始就抱着和共产党友好的态度，这是事实。后来，却也一步一步地走上共产党的路线了。我回到印度以后，只和同盟有着通讯的联络。后来，为了德里协定签订，国民大会向政府让步，得到暂时的妥协，反帝同盟把我开除了。我承认，同盟之出此，自亦有其正当理由，不过，却先应该予我以申辩的机会。——这就是我参加这次会议的始终。

一九二七年夏天，父亲到欧洲来。我在威尼斯碰着他。其后数月，我们都在一起生活。十一月里，正当苏联纪念十月革命的时候，我和父亲，茄梦娜及二妹克吕惜娜一同到莫斯科去。在莫斯科只勾留了三四日，因为此次游苏之决定，是十分匆忙的。可是，这三四天的勾留，却使我们大为满足。对我从前读过的很多关于苏联的书籍，这次莫斯科之游，给了我一种实际的印证。新的苏维埃以及各种集体的观念，对于父亲，则是新奇的东西。他脑子里，一向都是一些旧社会的法律想头，这些活生生的事实，根本地动摇了他的老观念。

因为父亲之到欧洲来，使我们回印度的时期，迟延了很久。看看年底已到，我们本来还想在途中顺便一游东南欧各国以及土耳其和埃及。但是，因为下一次的国民大会会议，已决定于圣诞节内，在马德拉斯召集。因为怕时间来不及，我便匆匆赶回印度。和茄梦娜，二妹及幼女，一行四人，由马赛（Marseilles）坐船向科伦波（Colombo）驶去。父亲则在欧洲多勾留了好几个月，这才回家。

一九二七年年底，我们回到了家里。

一六　西门委员会

我此次欧游回来，身体很好；对于世界的看法，眼光也宽大了很多。回到印度时，总觉得自己国家里的民族运动，和外面的世界断绝了关系，成为非常狭义的一种民族主义，非常不好。我想，政治自由，当然是民族主义运动的目标，但是，不必是唯一的目标。如果社会经济得不到整个的解放，则此种政治自由，必定是假的自由。而且，连这点假的自由，也无法保障。苏联产生以后，使我抱了一种新的希望。我相信，旧的压迫人的世界，必不能久，而新的社会，可能在不远的将来出现。印度在此时，至少必须有所准备，以便应付这即将到来的新社会。现在，无论如何，应该把自己的斗争最终目标，弄个清楚。应该对印度之完全独立，有坚定而明确的认识。不该再去谈什么争取自治领之类的糊涂问题了。不过，我也很了解，如果要把国民大会引导到社会之彻底改革的斗争道路上去，这是完全不可能的。因为，国民大会在本质上，是资产阶级性的民族主义的政治组织。然而，我以为，至少，准备工作是应该做的。而且，也可能做的。我当时以为，国民大会以外的广大青年和农村里的农民，必然可以在这一方面，有更大的推动力量。因此，很希望暂时能够走出国民大会的办公室，到农村区域去仔细地调查他们的情形。然而，事实偏不准许，到底还是给牵在国民大会的活动圈子里。

我当时一抵马德拉斯，便马上参加会议，并向国民大会提出了很多提案，主张决定印度革命之最终目标，为“争取完全之独立”，以及和反帝同盟取得密切的联系等等。出乎我的意料之外，凡是我所提出的提案，都完全经大会通过。完全独立的主张，尤为毕善夫人所竭力拥护。当时，甘地咭也在马德拉斯，他也参加国民大会的公开会议。不过，形成决议案的工作，他却并未参与。他也并不参加国民大会的常务委员会。自从国民大会曾一度被自治党所领导以来，他便采取如此的态度，以迄今日。不过，国民大会的任何重要决定，差不多都一定得去征求他的同意。我当时特别留心甘地咭，想看看他对我的各种提案，作何表示。我心中想，他一定不十分赞成。可是，甘地咭却一点也没有批评。我的这些提案，在本质上说，完全和国民大会一向所采取的态度，大异其趣。然而，大会却很快就予以通过了。这反使我觉得无聊起来。因为我想，大会代表们对于这些提案，不是完全没有了解，便是把它们错误地了解为其他别的什么东西去了。会中有一部分人，分明是持反对态度的，但是，他们也举手赞成。我看出他们的态度，是以为对付这类不打紧的空洞提案，最妙的办法，是快点把它们通过，好讨论到别的要事去。因此之故，我心里倒反觉不快。

后来，大会讨论到英国派遣西门委员会（Simon Committee）的事体，大家决定反对其来印。同时，温和派人士又提议召集“各党会议”（All-Parties Conference）以制定宪法。由后者，可看出他们对我的提案的真态度来。他们实在是敷衍了事。因为，这些温和派人士，还正希望着一个自治领的宪法之颁布哩！

我回印以后，又负起秘书责任了。我本来已经不想再负上这种责任。但是，因为当时我自己的提案已通过，很想把它们付诸实行。同时，我又恐怕国民大会会在温和派的影响之下，借所谓“各党会议”之类为工具，走上开倒车的路线。所以，决定继续负责下去。

一九二八年一年之内，是政治活动最为热闹的一年。全国各地都充满了生气。在产业工人群中，在农民群中，在中产阶级的青年群中，和知识分子群中，革命的空气，都十分浓厚。“职工联合会”的组织，大大地发展了。农村里的农民，也都十分活跃。在欧德区的农民们，常时有很大的集会，为保护佃农的利益而斗争。青年运动，也在这一年之内，十分活跃。各地都有“青年同盟”的组织了。

西门委员会到印度来，可是，全印度无论何处，都反对它之来印。印度人民看见西门委员会来了，都摇着黑旗挥手道：“Simon，go back！”（西门，回去罢！）印度的一般老百姓们都不懂英文。然而，西门委员会之来，却教育了他们这两个英文字。而且，也单懂了这两个字。西门委员会所到之地，都遇着反对它的示威游行。在那哈尔，情形尤为激烈。一个数目庞大的游行队伍，在拉吉帕特·雷意（Lala Rajpat Rai）的领导之下，和警察冲突起来了。拉吉帕特被打，受了伤，可是，游行队伍还继续着，仍不断地叫着："西门，回去罢！"的口号。拉吉帕特，年纪相当大了，身体又不甚好，给这次毒打，后来不久就身死了。印度人士，以为他之死亡，即使不是毒打所致，也是毒打所加速。因此，群情益为愤怒。反抗的情绪，也更为高涨。

在勒克瑙，反对西门委员会的示威游行，也十分激烈。我到勒克瑙去的时候，正是示威游行正进行着的时候。这些示威运动，并不使用暴力，政府本来无理由可以制止。但是，因为想保持自己濒于死亡的威信，只好利用政治权力，禁止游行。游行队伍给明令禁止后，国民大会的人士，便另想办法。不出以集体赴会的形式。我们把群众分成小组，每十六人为一组，各自地分头到某一地点后，再行集合。其实，由技术上而言，这方法也是十分愚笨的。因为，十六人之众，一起走路，同时还举着旗子，本身也就属于游行性质的队伍了。当时，我领带着一组先行。隔后不数步，又由巴拉哈·潘得（Govind Ballabh Pant）领带着一小队，接在我们的后面。

我们一队，前进还不上两百步光景，一支警察骑兵队，迎面而来。他们大约有数十匹马之多。警察马上鞭马直前，把我们的队伍冲散。同时，执着警鞭，遇人便打。不一会巴拉哈·潘得所领导的一组，也上前来了。他们明知我们的一组，已被冲散，然而，仍继续前进。结果，当然又是给骑兵队冲散，一样被鞭打。警察把我们的队伍，打得落花流水，我的身上也受了不少的伤。可是，这一群打不散，打不怕的人，虽在被鞭之时，本能地避免着鞭子，理智却驱使他们，使他们一步也不离开该地。队伍虽散，而成员尚在。警察一阵鞭打之后，似乎也疲倦了，立马盱视。我们便又重新集合起来，大部分都已被打得头破血淋了。集合之后，大家坐在地上，不动，也不说话，面对着警察。他们停止鞭打以后，也只好立马盱视，想不出进一步的办法来。这样地对坐约有一小时光景，政府方面的官员，越来越多，民众们也越来越众，大家都围绕着我们。这样地支持了相当时间，结果，警察无法，只得同意我们继续着沿原来路线前进。警察骑兵队则跟着我们，一块儿走，好像护送一样。

这一次被鞭打，我得到了很大的益处。除开意识上的不说，这使我在身体方面，体念出自己对于这样的鞭打，还能忍受。此点于我甚为有用。其后每遇困难当前之时，我估量自己的身体忍受得下，便勇敢地做去。

这事发生之后，第二天，是西门委员会到达勒克瑙的时候。我们的游行示威，还是决定继续举行。

这时，我的父亲在阿拉哈巴德，我怕他得知此项消息后，担心我的身体，心中不安。便马上打了一次电话给他，说，情形尚好，自己的身体无恙，想借此使父亲安心，然而，父亲终于不安心，当夜睡不着，马上决定乘车到勒克瑙来探望我的实情。但是，最后一班火车，业已开出，赶不上了。他便驾汽车星夜赶来。终于在早晨五点钟光景，到了勒克瑙。到达之时，他的身体已经十分疲倦了。

父亲到达勒克瑙的时候，正是我们起身前往火车站集合以便游行示威的时候。第一天的鞭打，反把整个勒克瑙激动了。群众的愤怒情绪，益为高涨，决心从事更扩大的示威运动。各方面的人，都各自分成小组，分途到车站上去。主要的队伍，每四个人一组，由国民大会的办公室出发，其数约在数千之谱。到了车站，大家集合起来，很整齐地排列着。那时，警察的骑兵队，步兵队以及正规军队，都已开到车站，密切地监视着我们，不许行动。群众队伍也就站着不动。不一会儿，大约是西门委员会就要到车站的时候，另外一大队骑兵来了。仍如从前一样，先把队伍冲散，继续大事鞭挞。我当时也各处受伤。被鞭打之时，我估量当时情景，如果把坐在马上的兵一手拖将下来，自己坐上马去与之对抗，是十分容易的事。但是，不抵抗主义的精神，叫我们不要如此行动。因为这样的结果，一定是警察开枪扫射，一定会使我们很多的同事死亡的。

这样不久以后，混乱局面又归澄清。我们又被打得头破血淋。可是，我们仍然又重新集合起来，站在一块儿。此时，警察们也收手不打了，退后几步，彼此又对垒着。这时，西门委员会就要抵达车站了，他们尚未到达车站，便悄悄地绕道偷走过去了。不过，即使如此逃避，在路上仍然不免遇到黑旗的招展，和“西门，回去罢！”的口号。

事体结束以后，群众的队伍，仍然集体地回到国民大会办公室门口，再行解散。我马上回到家里，会着父亲。这时，他正坐在家里，焦急地等候着我。

事后，我这才开始感觉到身上创伤的疼痛。我遍身都被鞭打，到处都有伤痕。可是，十分幸运，要害之处，都没有受伤，不至害及性命。当时，很多同事所受的伤，都是外部的，不久也就好了。只有当天立在我身旁的巴拉哈·潘得，因为身体十分高大，目标甚为显著，结果，被打得很厉害。身上要害，多被鞭打，因此损及内部。后来经过了相当长时期的医治休养，这才慢慢地复原。

这次事件，除了身上的伤痕而外，我脑子里还有一个很深的印象。我看见当时执鞭毒打的警察，多半是欧籍警察，印度籍的警察们，手段十分温和，他们时常避免打中群众。而欧籍警察，则十分残忍，冷酷。这印象深深地刻在我的记忆之中，历久而不灭。

英国政府，派遣西门委员会到印度来，目的在于实际地调查印度经济，政治，民情以及印回关系，革命力量等等各个方面的实况，想依据他们的实际调查，透彻地明了印度情形后，好决定英政府的对印政策。这是显而易见的。想依其报告制定宪法，这不过是此项政策的表面形式而已。即使完全为了此一目的，其所产生的宪法的性质为何如，也大可想见。所以，即在委员会人选里面，也不容许可以代表印度的印度人士参与。结果，引起了这样澎湃汹涌的反抗，也是不可避免的。

一七　“领袖会议”与职工联合会议的活动

在一九二八这一年，我仍然充任着国民大会常务委员会的秘书。在这一年中，经常去出席各种青年的集会。在一年之中，我记得曾出席过四次国民大会的省委员会。有时到民众群众中去，参加工人农人的集会，向他们致词。从此时起，我在自己的讲演之中，都强调印度革命的两大目标，即政治之独立与社会经济之变革。在在努力由印度的政治独立问题引导到社会经济变革上去。我当时想，大会的人士和会外一般的智识分子，乃印度民族革命的主力，所以时常向他们介绍社会主义的思想。当时，国民大会人士，多半强调地提到印度古代的光荣历史和现在被外族统治的耻辱等等。我对于这些因素，认为只是在养育全印人民的革命情绪上有用，形成革命理论的来源，却须由他方寻求。

我当然无论如何不是印度社会主义的先驱。反之，我是相当落后的，在许多地方别的人老早上前去了，我却只能一步一步地慢慢走。当年职工联合会的运动，在理论上说来，确是社会主义的，很多青年同盟，多数也是。在一九二七年十二月我由欧洲回来的时候，印度已充满了一种模糊的社会主义空气了。前此一二年，已有很多个别的社会主义者存在，可是，他们走的都是乌托邦的路线，还未受到马克思主义的洗礼。不过，现在也渐渐受到影响了。

苏联之存在和五年计划的进展，大大地影响了印度的情绪，助长了这种思想的发展。此情正与欧美略同。我们在国民大会联合省省委员会上，便已草拟了一次温和的社会改革草案。主张既存的土地制度应该取消，在国家与生产者之间，不允许中间分子的存在。

自一九二八年后半年和一九二九年起，政府要逮捕我的消息，越传越厉害了。这种盛传着的消息，产生了一种效果，使我感觉到自己生活本在不安定的情况之中，乃不得不使我自己的生活适合于这种不稳定的环境。随时等候着入狱，也时时加意地爱惜入狱以前的每一天每一时。总设法使每日每时必有所获得而过去，不任其白费。

一九二八年年底，国民大会的加尔各答大会要开会了。主席决定是我的父亲。在这一年内，我和父亲彼此间在政治意见上的不同，可说达于极点。父亲想使国民大会接受他们在勒克瑙召开的“各党会议”的报告，主张草拟印度宪法，争取自治领的地位。我呢，对于印度完全独立的信仰，始终信守不渝。对自治领地位的争取，当然是反对的。我们之间公开争辩也不少。不过彼此心中因此事而苦恼着。这时，父亲已经公开宣称，如果国民大会拒绝他的主张，他决定不充任大会主席，词意极为坚决。

后来经过两派不断交涉，结果采取了折中办法。国民大会同意各党会议的报告。但是，附加上一个条件，说，如果英国政府不能于一年内批准印度的宪法，则国民大会必须恢复他争取完全独立的路线。这折中案是十分聪明的，一方面避免了两派的分裂，一方面，明明知道英国政府必不能接受各党会议的宪法草案（其实这份宪法草案内容，连印度的完全自治领的地位都没有），因此，替次年的斗争，作了准备，使大会能在不分裂的情形下从事斗争。这种斗争乃是不可避免的。照当年的情形，如果没有甘地咭的英勇的领导，这样的斗争，是无法发动的。在这次大会里我曾公开地反对这个决议，然而结果，还是被推继续充任秘书。我好像成了永远的秘书了。

在这次加尔各答大会开会之前数日，“全印职工联合会”也在鸦利亚（Jharia）开大会，我曾参加该会的首二日，后来赶到加尔各答去了。我从前曾经参加过农民运动，这次又参加工人的群众会议，所以在工农大众间，都起了相当的信仰。这次在职工联合会中，我也看出温和派与急进派的斗争。意见的分歧，系在于加入那一个国际的问题；反帝同盟呢，或者，是泛太平洋联合会。急进派主张前者，温和派主张后者。在鸦利亚时，我是同情急进派的。但是自己是一个新加入的人，所知不多，只取超然态度。我离开以后，职工联合会召集年会。我到达加尔各答时，得知我被选举充任次年的主席。我是被温和派提出来的，他们系用我去和急进派所提出来的一位铁路工人的候选者竞争。选举之时，如果我本人在场，一定不任而让位给那位工人。因为，我自己是一位新参加者，同时，又不是工人，充任斯职，可谓不伦不类之故。职工联合会当时竟选举我充任主席，这点，也可以说就是当年职工运动联合会的大缺点。

一九二九年三月的时候，政府打击了职工联合会，逮捕其中急进派的很多有名人物，如孟买和孟加拉各地的工人领袖。其中有的是共产党，有的是左倾分子，有的简直就只是职工联合会的毫无色彩的人物。这次逮捕，便是当年有名的“米鲁特大审问”的开始；这次审问，经过四年半之久。该案开始审问后，印度即有为被告辩护的“米鲁特案辩护委员会”（Meerut Case Defense Committee）之组织。我也是其中委员之一。主席是我的父亲。这个委员会的工作甚坚苦繁琐，因为被告的种类既多，案情亦繁。最大的困难还是经费问题，很难募集，有钱的人，对共产党社会主义者，职工主义者们，都不赞成。而律师本是非要钱不可的，虽然也有有名的律师如我的父亲等，愿意尽义务，可是，他们也不能经常地住在米鲁特，其他的律师，我们也去延请过，不过，他们却想把这案件当成勒索金钱的机会。结果终于解散了。解散后，我只得以个别的方式协助他们（不过，一九三〇年的政治局势越来越坏，后来，我本人也入狱了，无法继续替他们辩护）。

这时，甘地咭仍与政治活动远隔，虽然许多领袖仍然去向他请示，而他本身则毫未参加活动。他尽全力从事的，是他的关于着用土布的宣传。同时他集募赈款，赈救穷人。他为了宣传土布，曾走遍印度南北。他到联合省来的时候，我曾陪伴他走了很多地方。每到一处，群众们都集中起来瞻仰甘地咭的容颜，来听他讲演。我并未陪伴他走完联合省，因为宣传穿着土布的工作，范围太小。我本来颇不赞成甘地咭此举，又因当时还有着别的很多事体要做，我随着甘地咭走了几个地方以后，便离开了他，自己去做别的活动去了。

甘地咭对于穷人的赈济，主要的是靠富人们的恩惠。他对贫穷的态度，是赞美的态度，我对此却不甚赞成。我认为贫穷不足以赞美，只是一种可怕可恶的东西，必须根本铲除。而铲除这种穷困，不能依靠富人的好意，必须根本推翻形成此种贫困的社会而后可。

这时的立法议院，早已引不起人们的注意了。后来，巴加特·新格（Bhaget Singh）和都德（B.K.Tutt）向里面投了一个炸弹因而造成所谓“恐怖案件”，英政府大批逮捕恐怖党徒。一年之内，因“谋叛罪”被捕的政治犯不计其数。一律不加审问而拘留成为所谓“拘留犯”（Detainee），这些拘留犯，为数甚众。在那哈尔监狱中，后来因为狱中待遇不良，起了一次“饥饿同盟”，大家发动绝食抗议。那时我恰巧正在那哈尔，获得允许去探望一部分的政治犯，因此得在狱中看见新格和加丁得朗拉士·达斯（Jatindranath Das）。两人都很温柔地和我相见。谈话过于细声，差不多等于没有谈。因为两人都绝食一个月以上了。后来加丁得朗拉士·达斯在绝食后第六十一天上死了。

加丁得朗拉士·达斯之绝食而死，在印度全国激起了很大的愤怒。在政府方面，也引起了改良食物的考虑。结果，政府委派了一个委员会调查此事。后来，也曾颁布了一些新法令改良膳食。然而，法令是法令，事实是事实。狱中膳食依然不见改良。

一九二九年的国民大会那哈尔会议，就要来了。入秋以来，大家都在准备推选主席。差不多全印人士都希望甘地咭出来，可是，甘地咭本身却无论如何不肯。后来，国民大会全印委员会在勒克瑙开会，要作最后决定了。那时，大家都以为甘地咭总会答应。然而，直至最后一分钟，他仍坚决地谢绝了，并且推荐了我来担任。结果，我被选充任本届主席。这事很使我觉得伤害了我的自尊之心。充任国民大会的主席是光荣的，这我并非不知道。如果我系由正规的情形被选，我一定十分高兴。而这次我之走上主席座位，非但不由大门而进，抑且不经侧门，好像是由一个什么奇怪的门，消息一掀，门开了便突然进去，使观众大为迷惑，结果承认了我。我心中因此深觉有损自尊之心，大为不悦。但是，我终于不露感情，悄悄地走出会堂。唯一因此事而高兴的，恐怕是我的父亲。他并不赞成我的政治路线，但却很欢喜我。我之被选，果然是一桩光荣的事。儿子继承着父亲任此职位，在印度可谓仅有。这时，我正是四十岁。很多人说，主席当中只有我是以最幼的年龄充任，其实不然，郭哈尔好像也以同样的年龄充任。阿沙德虽然较我为长，然而充任主席之时，尚在四十以下哩！

当那哈尔会议就要到来之前，印度的革命空气十分浓厚。英国政府为了要缓和这种紧张空气，便由当时的印度总督依尔文勋爵（Lord Irwin）[1]宣布行将召集圆桌会议（Round Table Conference）之消息。此项圆桌会议之不能产生有益于印度独立的决议案，是显而易见的。但，印度方面已同时在德里召集"领袖会议"（Leader Conference）以应付了。当时出席"领袖会议"的，有甘地咭，我的父亲，和当时的议院主席配特尔等。温和派的领袖如萨普鲁也参加了。结果决定有条件地响应总督的宣布，发表联合宣言，申明如果诸条件能达目的，即可与政府合作。当时所提条件大致如下：[2]

一、一切讨论，均须以印度之完全自治领的地位作谈判基础。

二、在会场上，印度国民大会应有多数的代表。

三、大赦全国政治犯。

四、印度政府从今日起，即须遵循自治领政府的方式行使其行政。

[1] 依尔文即今日英国驻美大使，前任外相的哈里法克司勋爵。

[2] 此处各条件文字，在作者原书中，系列入注释之内，经译者插入本文中。

可是人们对此诸条件，意见仍不一致。在国民大会派看来，这是最低限度的要求，决不可再行让步；在温和派看来，以为条件如此提出是可以的，不过，也还有讨论之余地。所以，到后来政府对诸条件概不接受时，我们表示不合作而被捕入狱。而与我们共同签字发表宣言的温和派诸君子，却去和政府合作去了。当发表宣言之时，我们对此种可能的结局，并非完全没有想到。不过，我们却抱着一种希望，以为借此还可以使温和派人士不致于和英国政府合作。同时，可以保持我们国民大会的统一，把我们的右翼也推上去。而且，这也不过是几个星期的问题，因为，那哈尔会议就要召集了。

然而，当时的宣言，放弃了我们争取独立的要求，虽然说这不过是暂时的，终归又错误又危险。因为这样一来，好像我们一向要求着的独立，不过是用为讨价还价的最高价而已，并非势所必争的目的了。所以，我最初不想签字，然而结果终于让他们把我说服了。虽然签了字，我心中仍不快，第二天决定拒绝充任国民大会主席。我写信给甘地咭，结果他回我一信，安慰我了事。我自己沉思了三天，心里也就镇静下来了。

正在那哈尔会议开会之前，有人企图在国民大会与政府之间，寻出一个共同的立场，觅致妥协的途径，因此，提议派代表晋谒总督依尔文。后来甘地咭和我的父亲，去会见总督，陈述国民大会的立场及观点。但是，毫无结果地回来。国民大会宣布争取独立为其永远的目标，开始进行争斗了。

正当那哈尔会议开幕之前，全印职工联合会也在拉格普尔（Nagpur）开会。我因任本会主席，便前往参加。我当时一人同时任这两个大会的主席，是颇不容易的。因此，在国民大会方面，力求其社会主义化，普罗列塔利亚化。在职工联合会上，我便设法力求其加入民族斗争。民族主义的国民大会，除非停止为民族主义的组织，不然，便不能社会主义化。所以这企图是不容易达到的，但，我以为或者也有可能。因为，民族主义不能只局限在民族的范围以内，必须在社会主义与普罗列塔利亚的方向上，才能发展；另一方面，劳工运动对于布尔乔亚的国民大会，应该予以帮助，影响它，和它合作。最近以来，国民大会本已接近农民，如果继续这种作风，是可以成为一个农民占优势的团体，因此十分努力。

在职工联合会里，我的主席职务做得很好。当时英国政府派了一个印度劳工问题皇家委员会到印度来，即有名的惠德莱委员会（Whitley commission），职工联合会中的左派主张抵制，右派则主张与之合作，其中还夹杂着一些个人问题，右派的人士之中，有的已经被请为议会委员了。我是较倾向会中的左派。不过，我仍力求公允，不露偏袒的态度。后来左派胜利，右派退出，不幸联合会终于分裂。我在一九三〇年以后，因为入狱之故，也走出联合会了。

十八 那哈尔大会与文明抵抗

那哈尔大会，此刻仍留在我的记忆之中，情形有如昨日。这也是必然的，因为我当时在会中充任主要角色之故。我永远忘不了当时拥挤中的一切情形。民众们对我的信仰，可说达于极点。我们开会的决议，是向大家号召作实际之行动。我们革命之辽远的将来的情形，究竟如何，那时谁也不敢说。可是，最近将来的情况，却很清楚，一目了然：行动之后，我们必将过一个寂寞而受苦的监狱生活，这是不言而喻的。

大会的主要决议案，是通过了争取独立案。此案表决之时，差不多是全体赞成，几千人之中，只有十余人投反对票。通过以后，授权给国民大会全印委员会草拟斗争纲领，并领导实行这次斗争。

这次那哈尔大会，参加者有很多是边区省（Frontier

Province）的年青人士。本来，边区省的个人代表，老早参加国民大会，加发尔汗（Khan Abdul Ghaffar Khan）老早就和我们在一块儿，参与问题之考虑了。这次的那哈尔大会，才第一次得到大批的边区省青年加入。从此，边区省已经和印度其他的部分，连在一块儿共同奋斗了。边区省是最后加入，可是，自一九三〇年以后，都一直扮演着十分出色的角色。

那哈尔大会闭幕以后，因为要与决议案的精神符合，我的父亲便向在印度立法议院中的国民大会同志呼吁，请他们退席。结果，差不多全体都辞退了。大会通过了斗争的议案。大会开会之时，情绪虽极热烈，但是，前途究竟如何，尚不可知。尤其不知全国人民对于这样一个行动纲领的反应，究竟如何。因此之故，一方面用作为斗争的开始，一方面想测验人民们的反应，国民大会便规定一九三〇年一月二十六日为“独立节”（Independence Day）。这一天，要求全国人民宣誓愿为争取印度的完全自由而斗争。

（译者按：誓词甚长，其内容大略如次：

“吾人深信，获得自由及对本身劳苦之果实的享受，以及保有生活必需品俾得有充分的生长机会，乃一切民族之特权，如有那一个政府将某一民族的此种特权剥夺以去，则该民族即有更进一步的权利以反对此种政府或从而改组之，消灭之。英国政府，已在经济方面，文化方面以及精神方面，都使印度人破产，置印度于万劫不复之境了。因此，我们认为，必须与英国脱离联系，而达到印度之完全独立。

“吾人深信，为对于使吾国受种种不幸的血腥统治，长此屈服，乃一背天违人之罪恶。对此种统治，必须起而消灭之。

“吾人以为欲达此目的，可以不必使用暴力，但能将吾人献与英国政府的自愿之协助收回，并拒绝缴纳赋税，即可达到目的。故不合作运动，实为当前有效之手段。

“吾人因之于此郑重宣誓，吾人必须摧毁英国政府之无理统治，以达完全独立之境。因此之故，决遵行国民大会为争取此伟大目标而不时发出之命令，一致行动，务求最后目的的达到。”）

在一月上半月内，我都留在家中。这时，因为正值宗教上的赛会之期，成千累万的人民香客，都到阿拉哈巴德来。其中各色各样的人都有，主要是农人，此外有工人、店员、艺术家、商人、大商业家、职业界人士，一应俱全。他们到阿拉哈巴德来，甚想一瞻国民大会名人们的风采。最主要是想看看我的父亲。这时父亲不在家，我便只好代替了他。而我们的家又临近一个进香圣地，所以他们都蜂拥地到我们的家里来，我忙于招待他们。他们十数人一群，最初我对他们每一组人都作简短致辞，后来越来越多，简直无法应付了。

在这一段时间内，印度人民对我的好感，可以说极盛一时。知识分子对我很赞成，一般的人士，几乎把我看成英雄了。即使我的敌对者，也不得不说我不无好处了。有些人做了一些关于我个人的歌曲，各地报章杂志也竞相刊载关于我的文章。街头巷尾，也因而流行起很多无稽的谣言来。其中有一个，是说我在小的时候，曾与英国皇太子既同学又同班，皇太子一九二一年到印度来的时候，他还找我谈话哩。其实，我不但没有和英国皇太子同过学，甚至见面以及谈话的机会都不曾有过。还有人甚至把我称呼为“天亚加穆蒂”（Tyagamuvti）或

“巴拉特布参”（Bharat Bhushun），前者是“牺牲的化身”的意思，后者是“印度之宝”的意思。后来我的妻女，也把这些名词拿来和我开玩笑了。

一九三〇年元月二十六日“独立节”的这天，全国各地的人民，以一种庄严而和平的仪式举行宣誓，其生动情形，连甘地咭也给感动了。他看见全国人民的这种高涨着的革命情绪，便立刻断定：这是行动的时候了。

于是，文明抵抗运动便大规模地开始了，其情绪之高涨，比较从前因绰尼绰拉的小事而停止了的一九二一至一九二二年的运动，有过之无不及。全国人民比较从前是受过了更多的锻炼了，大家对于斗争的性质，也了解得更为清楚。当然，甘地咭还坚持使用非暴力的手段，同时，大家也都信仰着他及其主张。不过大家都不免考虑到：如果有和从前的绰尼绰拉同样事件发生，斗争会不会如老例中止；大家都认为恐怕不能和从前一样了。我们都和甘地咭一样，认为此项非暴力的手段，实为良好的手段。但是我们却认为它并不是绝对不可更易的。可是甘地咭则不然，他认为这种手段，是放之四海而皆准的手段。即使环境极为不佳，也仍须坚持。

独立的目标决定了，文明抵抗的手段决定了。但是，此项斗争，究竟应该从何处着手呢？大家都怀疑着。最后，甘地咭给予启示了：从食盐着手。自制食盐，反抗征收盐税。工作一经决定，全国各地都开始，到处自制食盐。与此食盐运动同时，甘地咭又发表了他那有名的“十一点申明”（Eleven Points），列举很多关于政治社会方面应行改革之点。同时，他的“但地食盐长征队”（Dandi Salt March）开始了，由甘地咭领导着，从沙巴马蒂起，一直走向盐海去。另一方面，国民大会全印委员会在阿米达巴德召集会议，讨论对于即将到来的斗争之应付。那时，领袖的甘地咭不在场，他已到海边去掘盐去了，不肯回来。大会委员会开会时，讨论到如果政府逮捕工作人员，如何应付的问题。结果决定赋予委员会主席以指定继任委员人选之权，并可指定继任他本人职位的人：在会议无法召集的时候，执行会议的职务。省的以及地方的国民大会机构的主席，均获得此项权力。称主席为迭克推多，赋予他以迭克推多的权力。国民大会这一个决议案，惊动了英国政府以及印度总督。他们大声疾呼，说：国民大会宰杀了民主，走向专制之路了。甚至于印度温和派的报纸亦叮咛着，要国民大会尊重民主政治的精神。这些当然是很有趣的言论，印度在英国残酷控制之下，毫无自由，而伪君子的总督统治者，却来高唱保卫民主了。

国民大会当时如此决定后，大家都了解前面就是大难关。国民大会当然会被宣布为不合法的团体。领导者当然一定被捕。前面的人所指定的继任人，当然一定要遭受同样的命运。这是不待说的。所以，委员会闭幕后，我和同事们，大家彼此告辞，因为谁也不知何年何月再行会面。告别之后，分别到自己岗位上去。犹如奈杜所说的：“去整理行装，好旅行到监狱中去。”

我回来以后，便和父亲一道到加蒙布沙尔（Jambusar）去看甘地咭，父亲更向甘地咭说，把他自己在阿拉哈巴德的那座宽大的阿难馆，捐赠给国民大会，作为公用。这时，甘地咭正领导着他的长征队向海边走去，他手中持着一根手杖，走在队伍的前头，步伐迟缓而态度坚定。跟随着他的人们，都有着很大的决心要贯彻到底。

父亲回到阿拉哈巴德后，便马上进行赠房的工作。国民大会把房屋接受后，便把这座大而宽的房屋的一部变为医院。

四月到了，甘地咭的队伍差不多抵达海岸了。印度全国都静候着他的命令，以便开始文明抵抗的斗争。国民大会则积极地赶紧训练义勇工作团团员，教育他们如何开始工作，如何对付群众等等技术，我的妻子茄梦娜和妹妹克吕惜娜，也都穿上了男装，参加受训。四月六日来了，甘地咭在但地海岸开始反抗盐税。三四日之后，各地的国民大会组织便接到命令在各地作同样之行动。

全国开始行动了。大家自己设法自造食盐。国民大会的人们，本来对这种技术，毫无经验，只好到处找寻参考书，研究以后，写成小册子到各地分发，用以指导人民制造。东弄西弄，终于有产品出来了，大家十分高兴，把这些粗糙的出产品，以高价义卖。后来技术熟练，便渐渐越产越好，也越产越多。到这个时候我们这才深深地佩服甘地咭的远见。

反抗盐税的运动一开始，英国政府也就开始了他的逮捕政策。我于四月十四日被捕，并根据“食盐条例”（Salt Act）判以六个月的徒刑。被捕之时，我正要到中央省（Central Province）的雷意普尔（Raipur）去参加某项会议。我曾在被捕之前，行使了国民大会迭克推多的特权，事先指定甘地咭继任我的主席职位。但是，又怕甘地咭会拒绝担任，便指定我的父亲为第二继任者。我入狱后，甘地咭果然拒不出任，结果父亲挺身而出。当时他的身体极为不良，但是，为了整个的革命运动，他不顾身体，终于出任了。

在我入狱的这些日子里，全印度大混乱。游行示威以反对逮捕之事，不时发生。而警察对民众任意鞭打，尤为司空见惯之事。这些时日，对外国布以及一切英货之抵制运动，做得十分彻底。对于这种斗争，自我入狱后，我的母亲、妹妹和妻子，都一律参加。尤其是茄梦娜，她除了参加抵制外货的运动而外，还参与阿拉哈巴德的各种活动。我在狱中得知此项消息，心中极为高兴（后来父亲也入狱，和我关在一块，我由父亲的口中，知道茄梦娜所表现的组织能力，使我大为惊奇）。想到她的病体和一向的优逸生活，这种消息，完全是出乎意料之外的。

在狱外，政府警察对反抗的民众，用机关枪扫射。这以边区省方面的情形尤为严重。这类的事件，把全印度激动了，革命情绪更因此而高涨。在政府命令警察开枪射击民众的时候，很多印籍警察，按枪不放。因为他们同情这些赤手空拳的民众。同时，心中以为英国统治的末日，即将到来，不服从命令，也没有什么了不起的问题了。

在此时，最引人注意的，莫过于印度妇女之参加斗争。差不多任何场合，都有妇女们的足迹。后来，还有很多妇女，在省的以及地方的国民大会机构的主席被捕后，她们出任主席，继续工作。

这次运动，本以反抗“食盐条例”开始，后来发展开去，遍及于其他各项。政府见这运动进展着，便颁发很多禁令。禁止这样，禁止那样。可是，禁令越多，反抗的对象也越多。前一个禁令失效后，总督又发第二个。在国民大会方面，则来一个禁令，便发一次反抗命令的指示，向民众指示反抗的方法。国民大会的主席，第一个入狱，第二个继任，第二个入狱，第三个继任，从不间断。而民众们对国民大会又极服从，命令极易推行。

五月五日，甘地咭也被捕了。甘地咭的被捕，在各地，尤其是西部海岸，激起了很多的事变。警察无情地毒打民众，孟买成了是种事件的中心。因此，该地的民众也被警察大批地毒打。孟买是一个大城市，甚引人注意。小的城市村庄，也同样地发生着同样的事件，不过不大为人知道罢了。

六月后半月的光景，父亲和我的母亲及茄梦娜，一道到孟买去。他们在那儿得到广大民众的欢迎。六月三十日，当他回家后，和许德·马穆特（Syed Mahmut）一块被捕了。他们二人之被捕，系因充任不合法团体的国民大会的主席与秘书之罪。两人均被判决处以六个月之徒刑。父亲之被捕，大概还因为他发表了一份申明，论及一位士兵当接到上峰对平民开枪之命令时的职责问题。这其实是在印度法律允许的范围以内的事，并且，所援引的，那是英国或印度政府的法律命令，然而，终于被认为是一种危险的文书而被捕了。

这次父亲孟买之行，极为劳苦。因为身体不支，医生叫他一定得马上休养，他本身也想如此，本已决定到莫沙里去的，然而，当他准备到莫沙里去的前一天，终于给带进赖力中央监狱（Naini Central Prison）来了。

一九　妥协企图之失败及抗租抗税运动

我在狱外生活差不多七年光景，又入狱了。这次是在赖力中央监狱，被禁在两间小牢房里。一间充浴室和马桶间，另一间作为休息睡觉之所，尚称舒适。入狱不久，暑季便到。有时，他们还许我露天睡觉，以避炎暑留在牢房内的余威。我给关在里面的这四间牢房（其余两间空着许久无人来住）是中央监狱内有名的“狗房”（Kutaghar）。不过，这是一个古旧的名称，与我之留居其内并无关系。这“狗房”，在中央监狱内，和其他的牢房隔离得很远。最初建筑时的目的，是以作禁闭危险犯人之用的。到后来，才渐渐用以禁闭政治犯。我入狱时，他们不许我走出那个小小的范围以外去。主要是怕我看见其他的同志，或者被他们看见。所以要出去运动时，他们只许每天在天差不多要亮之时，走出半个钟头。

这次在狱中，我看到一桩有趣的事体。狱中有着不知其数的无期徒刑的既决犯。无期徒刑，通常本只以廿年为满的。有时还不上廿年。可是，这里面有很多都超过了二十年。照狱中的办法，每个既决犯的衣服上，在肩膀部分，都钉有一块小小的木牌，上面写明所犯之罪以及定罪年月和刑满年月。有一次，我看见一个囚犯的刑满期为一九九六年！那时，是一九三〇年，他已在狱中过了好几年了，年纪已是中年。共计判了七十五年之久。也许因为陆续地发见罪名，陆续地加上去的罢！这些无期徒刑囚犯，与人间完全断绝了，世界也忘记了他们，然而，他们却不忘记世界。有一次，有一个到我的面前来问我道："你看我们如何是好？司瓦拉吉会不会把我们救出去呢？"

在狱中无报纸好看。但是，却有着一份身毒文的周刊，把不少的消息，由外面传入。因此，我知道甘地咭的人格在印度起了很大的作用。无论谁人，在他的感召之下，都会坚强起来，变得十分英勇。所以，昔年郭哈尔曾说甘地咭能够"把泥土捏成英雄"。甚至狱中的犯人以及管狱员等，都互相谈论着甘地咭及印度的革命。

大家都盼望着独立之到来。外面各种英勇斗争的消息，不断地传入。尤其是学拉普尔（Sholapur）的戒严令，连张挂印度国旗也要判处十年徒刑一事，最使我动心。我因此感觉到印度民族精神之伟大。听到外面的斗争十分激烈，反顾己身，在狱中过的生活，似乎还较为安逸，心中因此起一种惭愧之感，很希望能够出去。现在既然不能出去，我便设法使自己在狱中的生活，坚苦一点。每天都做几个钟头的工，读很多的书，洗自己的衣服及做清洁地板房壁等工作。

在牢房里过了很久的单独生活，后来，在六月底，父亲和许德·马穆特来了，和我在一块儿，生活才变得有趣一点起来。

与父亲之被捕同时，国民大会便被指为不合法团体。从此以后，委员会的人员，常时在开会之时被捕。后来由主席的指派，委员的任务很多都落到妇女们的身上。茄梦娜便曾充任省委员会的委员。

到本年七月末的光景，萨普鲁和加雅卡尔（Jayakar）在努力使政府和国民大会妥协的消息传出来了。印度总督依尔文和他们彼此通信。他们两位还去晋谒总督。据说他们之所以出此，还得力于我的父亲之鼓励。因为父亲在被捕之前数日，曾作有一项申明。当时某新闻记者和他谈话后，曾把它公布。这申明说，如果政府同意某些条件，文明抵抗是可以停止的。父亲入狱后，曾经对我说及此事，他谈他甚为懊恼，当时不该匆匆出此易于被人误解的空泛申明。现在，果然被人误解了。

七月廿七日，萨普鲁和加雅卡尔带了甘地咭的一张便条到赖力监狱来会见我们，商讨此事。那时父亲正在大病，身体正发热，但他仍勉强支持，和萨普鲁们交谈。结果，我们表示在未得与国民大会同人等尤其是甘地咭晤谈之前，决不作任何一种建议。我们还把这意思写信告诉甘地咭。

八月八日，萨普鲁又到狱中来，还带来了总督的回答，总督同意我们到耶拉百达（Yeravda）监狱里去会见甘地咭。但是，不得与其他仍在狱外活动的国民大会人员会面。两天以后，在八月十日，一辆专车把父亲和我以及马穆特由赖力送到浦那去。因为恐怕在路上引起群众的集会，凡大的车站都不停留，只在小站略停。可是消息传出，仍然有很多民众集合起来迎送。十一日夜深时，到达克尔几（Kirkee）。在甘地咭的狱中，和萨普鲁等作了三日的谈话。由八月十三日起到十五日止，终于决定了政府应该答应的条件，愿意在达到目的后，与政府合作。当时会议情形极为热烈紧张，父亲的病又因此重了起来。十六日未能起身回赖力，直延到十九日这才坐了专车回来。车子仍停小站，但是，民众们却仍集了很多。监狱当局方面对父亲的病，可说十分关心。他们多方设法，使他安适。到耶拉吾达的时候，监狱署长问父亲要些什么食物。他说，只想吃一点清爽简单的东西。后来他开了一个单子交给这位监狱署长，其中列有山羊奶和红枣以及其他一些食物。在父亲方面，其中各物，果然是很简单了。而在监狱署长看来，则十分奇怪，有的东西听也没有听到过，买也无从买起。父亲的生活，一向本是十分奢侈的。在赖力监狱的时候，食物都是由家中送去的。

父亲的病，日重一日。很多医生都来看病，一些是他自己的医生，一部分是由政府方面派来的。监狱中自非疗治之地，因此，在报上曾有人建议，请政府释放，以便治疗。然而，父亲本人很不以为然，他恐怕别人误会这意思是出诸他自己。他甚至于拍电报给总督依尔文，说明自己不愿意接受某种特惠而被释放。不过，病越来越重，结果于九月八日释放了。他在狱中刚刚坐满十个星期。

父亲被释放后，我们在狱中反觉无聊起来了。不过，后不数日，我的妹夫雷吉特也入狱，也和我关在一起。空气又较为热闹起来。

一个月后，十月十一日，我期满出狱。这时，萨普鲁和加雅卡尔等的和平企图失败了，政府更进一步，又颁布了更多的禁令。我看看当时情形，心想斗争必须继续，自己的狱外生活，想必也不会长久。决心在这为时甚暂的自由期内，努力做一点有意思的工作。这时，妻子茄梦娜在阿拉哈巴德，正忙于做国民大会的工作。父亲则在莫沙里医病，母亲和妹妹在父亲的身旁。我便到阿拉哈巴德去，住了一天，和茄梦娜一起到莫沙里去看父亲。

这时，我们的面前摆着一个大问题。因为又是征租收税的时候了，是否应在农村发动抗拒缴纳租税的斗争呢？农民们，因为农产物价值低落，租税已经无力缴纳了。佃农们，当时如果务须缴纳，只好出于借贷。但是，大多数的佃农，连借贷也无路了。这时的环境，抗租运动的条件，十分成熟。在我看来，发动抗租运动，可谓适得其时。即就政治运动方面而论，也应如此。因为，这时的不合作运动，虽然仍旧继续着，仍有人陆续被捕，可是，空气却较前为冷了，必须加入新的血液去。这新的力量，当然最好的是由农村中吸取了。在我出狱到阿拉哈巴德的一天半短短的时期里，我和一些国民大会省委员会的同事，共同考虑这事。结果，决定发动抗租抗税的运动。阿拉哈巴德区决定第一个开始行动。我们并且决定在一周后召集本区农民代表大会，讨论进行一切。也就在这一天，我参加一次群众大会，向他们讲演。这次的讲辞，就成为再度被捕时罪名的根据。

和茄梦娜同往莫沙里看望父亲的病。这时父亲病体稍微好了一点。我们留了三天又回到阿拉哈巴德去了。我于十月十三日到莫沙里，因为十九日要开农民代表大会，便于十七日和茄梦娜回阿拉哈巴德。父亲心中想，我在狱外，既然非如此继续斗争不可，则再次入狱之期，必不在远。想多和我会几次面，便于十八日也赶回阿拉哈巴德。

我由莫沙里到阿拉哈巴德的途中，沿途参加农民的群众会议，于十八日晚才到达目的地。

农民代表大会开会时，参加代表有千六百余人之多。大会决定发动本区的抗租抗税运动。少数工作者当时曾犹豫不决，不能把握究竟能否成功。因为怕以政府作后台的地主力量太大，斗争不过。可是代表们终于通过议案了。开会时，我也是讲演者之一。会散后，我便到车站上去接父亲及母亲等。接到了父亲后，马上又和茄梦娜一块儿去参加一次农民与城市人的联席会议，让父亲独自回去。会议结束，我和茄梦娜乘车回家。两人均极疲倦，同时因为父亲回来后，尚未谈话，想赶快回家去看父亲。不料车子开到已经看到自己的家的地方，给止住了。我于是又被捕。渡过赞木纳河，又送到老地方的赖力监狱来了。茄梦娜一人驾车独归，向正等候着儿子的父亲母亲们报告我被捕的消息。

我这次在狱外的生活只有八天，又回到老地方和马穆特们一起了。这次的罪名，分了好几个，都是由前次出狱的第一天所作的讲演内寻出来的。审问之后，根据刑事诉讼法第一百四十四条A项，判处十八个月之监禁，罚款五百卢比（Rupee）；又根据一八八二年的食盐条例判处六个月的徒刑，一百卢比的罚款；又根据一九三〇年的法律第六条，——这条法律讲的是什么，我也忘记了——判处六个月的监禁，一百卢比的罚款。因为后二罪属于并发事件，结果所判徒刑一共为二年，再加以代替罚款的五个月，一共为二年又五个月。这是我的第五次入狱。

二〇　茄梦娜之入狱

我这次之再度被捕，结果激动了整个印度，更加速了不合作运动的步伐。连父亲也忍耐不住了。茄梦娜回去报告被捕消息后，他勃然大怒，用手掌在桌上一击，立誓不再休养，不作残废之人，决心再出去从事工作。他的病体在这样的决心之下，似乎也好了许多。他到狱中来看我时，告诉我这种精神上的决心，如何影响了身体上的毛病，表示十分高兴。十一月里，在我的生日那一天，父亲开了一次扩大的庆祝会。在会上，把我因而被捕的那篇讲演辞，公开宣读。结果，大大地感动了全国人民。全国发生警察棍击人民的事件，据估计曾有五千以上的人被捕，这真是一次伟大的生日庆祝了。

不过，父亲的身体，终于不行，不能支持这样强烈的工作。我劝他作完全之休养，他不肯。同时，印度当时的环境，也实在使他无法安心休息。后来我向他提议，要他离开印度，到西贡或新加坡去。再进而到印度支那，以作长期的休养。父亲同意了，并请定了一位做医生的朋友一块前往。他便离家到加尔各答去。可是一到孟买，病忽转重，便在孟买郊外留下。家中各人也都跑到那儿去，和他一块儿生活。只有茄梦娜一人，留在阿拉哈巴德做着国民大会的工作。

我这次再度被捕之所以如此迅速，大概还有一个原因，即因我参与抗租抗税运动，政府想阻止这种运动。可是，逮捕的结果，适得其反。当时农民代表大会刚刚闭幕，各代表仍在阿拉哈巴德，得知发动抗租抗税运动及我之被捕的消息后，他们把它带到各地乡村去，任一个角落都知道抗租抗税运动业已开始了，都一致地行动起来。从前国民大会的交通，十分困难。报纸因为受政府的压迫，不敢刊载消息。电报信函，又常被检查停发。所以多半靠差人送信，但是，这也不可靠，因为送信的人也往往被政府捉去。而这次的抗租抗税运动，因为各代表尚未回里，打破了这个难关。

消息传到各乡村后，租是不缴的了。国民大会的人士，进一步向地主宣传，叫他们不去缴税，力求使他们明白这次运动的性质，不是“阶级的”，而是“民族的”。可是地主们终于多数缴税。不过佃农们却一致拒绝缴租。结果，抗租抗税运动，变成单纯的抗租运动了。

另一方面，政府的压迫也增大了。国民大会的各种机构，以及“青年同盟”等，都被认为是不合法组织。在监狱里，对政治犯的待遇，也严格起来了。尤其对释放不久又复入狱的人，更为严厉。

一九三一年新年那天，茄梦娜被捕的消息传到了我的耳朵里，这使我心里十分高兴。茄梦娜一年以来，对于工作，甚为努力，也大有成绩。如果她不是女子，恐怕老早就被捕了。因为，最初政府是竭力避免逮捕妇女的。可是，这种忍耐终于不能持久，茄梦娜于是被捕。听了这项消息，我一方面心中引以为喜，一方面也引以为忧。因为她的身体很坏，恐怕受不了狱中的苦。

在茄梦娜被捕的时候，有一位新闻记者在场，他请她发表一点意见，她马上很简单地说道：“我今日得追随吾夫之后，心中既觉高兴，亦引以自豪。我希望我国同胞，继续保持吾人的旗帜，永远飘扬空中。”

这时，我的父亲正在加尔各答。他听到茄梦娜的被捕的消息，万分激动，决定停止出国养病的计划，马上决定回到阿拉哈巴德来。他就叫我的妹妹克吕惜娜先行，自己和家中其余的人随后赶到阿拉哈巴德。一九三一年元月十二日，他到赖力监狱来探望我。我看到父亲的脸色不佳，心知身体已经更坏。可是，我却努力不使此种感情表现出来。父亲对于自己的病，告诉我说，现在比在加尔各答时好得多了，日来的面容不佳，系因偶然的原因。可是，我的心里确实得了一惊，开始想到父亲的年龄，也想到死亡的问题了。不过，我心中总以为时间大概还相当的久。

这些时间，正是第一次圆桌会议开会的最后数日，我在狱中知道圆桌会议的消息。自己完全了解，投资于印度的主人翁们，因为要保障自己的未来利益，正以“国家主义”为名，欺骗着印度。而在印度的男女被陆续地逮捕入狱之际，仍有少数印度同胞，正企图与政府寻求合作方法，实在是痛心的事。不过，我也不去十分注意圆桌会议究竟在弄的什么花样，因为，我知道，印度的路，在印度目下进行的斗争之中，与伦敦的会议无关。而且，一九三〇年一年的进展情形，已经使我认识了印度的革命力量之伟大。对于前途，也有了很大的把握。

一九三一年一月廿六日的“独立节”第一周年纪念日，更使在狱中的我增加自信。这一天，全印度各地，都召集群众纪念大会，并在会上重申争取印度自由与独立的决心，运行国民大会的命令。我在监狱之中，正静静地坐着，默想过去一年的事，以及明年要到来的，究竟是些什么。不料在中午之时，狱中人员告诉我说，父亲的病转重了，我应该出去看看他。当时吓得一大跳，他们又告诉我，我现在已经因为父亲的病被释放了，马上可以回去。同我一道回去的，还有妹夫雷吉特。

在我被释放的那一天夜里，在各监狱中的很多国民大会的政治犯都被释放。政府的意思，是要让我们大家彼此会会面，好重新考虑目前的新局势。所以，不管在那一个情形之下，我都一定会被释放的。不过，父亲的病况，使我比其他的人们早出来几个钟头而已。

茄梦娜被囚于勒克瑙的监狱中。这一天也一道被释放了，她的狱中生活，一共只过了二十六天。

二一　父亲之死

父亲的病状转剧，面色极为苍白，声音亦已变小，头脑也有点昏了。不过，他那种不屈的意志，却仍然存在，他看见我和雷吉特回来，十分高兴。可是，一二日以后，因为雷吉特之出狱，不是作为国民大会出狱人员之一，只是叫他出来看看父亲的病而已，因此，又给请进狱中去了。这事很使父亲伤心。他非常抱怨，说，很多人都由各地前来探病，而自己的女婿却无法来看，实是不合道理之事。医生看见此情，心中十分焦急，因为这是于病体有损的。三四天之后，大概由于医生的请求罢，雷吉特终于被释放出狱了。

就在我被释放的同日，甘地咭在耶那吾达的监狱中，也被释放了。我很想甘地咭能到阿拉哈巴德来，便把甘地咭出狱的消息告诉父亲，父亲也切于会晤甘地咭。甘地咭出狱后，在孟买遇着一次空前的盛大欢迎会。第二天，他由孟买出发，晚上很晚的时候，抵达阿拉哈巴德。这时，父亲正在病床之上，醒着等待他之到来。甘地咭和父亲见面后，虽然只说了很少的话，父亲心中便已感到了非常的安慰。连我的母亲，也因为甘地咭之来而大感宽心。

当时已释放出狱的大会人士，都迫切地等候着指示：究竟应该如何地继续行动。同时，他们都很关心我父亲的病体，都想到阿拉哈巴德来看病。因此，便有人提议在阿拉哈巴德召集一次会议。决定召集会议之后，数日内到阿拉哈巴德来的人，有三四十位。会议的结果，是决定继续不合作运动。这时我因为父亲的病，不常参与讨论，只去了一二次。

参加会议的人，很多是新由狱中出来的。他们都想要看看父亲，似乎要作最后的诀别了。每天早晨和夜里，他们二三人一次到病室中来看他，父亲都要坐起来一批一批地接见他们，很微弱地说着很少的话，面容表现出很愉快的样子。客人去时，他还勉强地举起手来打招呼。有时，因为说不出话来，还用笔写下心中一些要说的话。

当时，正在隔壁举行着的会议，他已不甚关心了。他自己知道已经濒于绝境。他向甘地咭说道：“我要去了，麻哈子妈咭！我无法看到独立之到来。但是，我知道你已经打了胜仗，很快就会看到他之到来的。”

很多的人们，都散了，回去了，只有甘地咭和三位伴着父亲很久的医生以及一些亲戚还留下。二月四日的早晨，父亲的病似乎有了转机，心志忽然十分清醒。大家因此十分高兴，想趁此机会把他送到勒克瑙去。因为勒克瑙有深度爱克司光的设备，阿拉哈巴德没有。就在当天，我陪伴着他，坐车向勒克瑙去，甘地咭和亲戚们跟在后面。车子行驶得很慢，可是，父亲仍然十分疲倦。第二天，疲倦似已过去，可是，晚上却又没有睡好。六号的早晨，我正在床边侍候着他，他因为心中痛苦似乎在挣扎。忽然之间，他的面容转变得很沉静，挣扎的努力随即停止。我看看，以为父亲睡去了，心里很高兴。可是，我母亲的观察力却比我锐敏，她失声大哭起来了。我正要阻止母亲不要惊动父亲的睡眠，但是，也马上看清楚，这是最后一次的睡眠，永远不会醒了。

当天，我用车将父亲的尸首送回阿拉哈巴德。车上还有父亲的一个老仆人，雷吉特则开驶车子。后面一部车，是我的母亲和甘地咭。再后面的几部，是很多别的亲友。在勒克瑙有大批的群众前来瞻仰遗容，并欢送灵柩。到阿拉哈巴德时，情形尤为热烈。晚上，家里举行祭礼后，在恒河岸火葬。前来执绋之人甚众。当夜色笼罩着冬日的河滨时，大火熊熊地燃烧起来，吞食了这个对我们及印度民众都有很大的重要性的身体。甘地咭在群众面前，作了一次短而动人的演说。葬了之后，我带了一颗沉重而寂寞的心，回到寂寞的家里。星星高照在天空之中，倍增凄凉。

葬了之后，各方所来唁电极多。印度总督依尔文夫妇也电致我的母亲，表示哀悼之意。甘地咭在我的父亲死之前后，都竭力安慰我和母亲。因他之故，我们减少了很多悲哀痛苦。

我对父亲之死，极为伤心。最初差不多常时忘记父亲竟已死去。葬后不久，我曾和茄梦娜及女儿一道到锡兰（Ceylon）去。在锡兰某地，觉得环境很好，想到很合父亲休养，如何不打电报叫他来呢？当我正想打电报到阿拉哈巴德去的时候，这才发觉父亲已经看不见我的电报了。

由锡兰回到阿拉哈巴德的那一天，我接到一封信，一看，是父亲写给我的。信壳上印上了很多地方的邮戳。我急忙打开一看，果然是父亲写的。写信时间是一九二六年二月二十八日，离现在已五年之久。这封信，是父亲在我和茄梦娜一九二六年离开印度到欧洲去起身之前夕，由阿米达巴德寄给我的。信壳是写交孟买，由意大利依罗德号轮船转交。我们当时是乘搭该轮赴欧的。可是，信到孟买时，船已开出，没有给我接到。于是，这封信便周游了很多不同的地方，也许还在什么地方搁了很久。结果，在五年半后的今天，送回来，送到我的手中了。凑巧得很，这也正是一封分手的信哩。

二二　德里协定

正与我的父亲死去同日，差不多同时，参加圆桌会议的一群印度代表，由英回印，在孟买登岸。上岸后，接着就到阿拉哈巴德来了。这些代表们中，有萨普鲁，沙时德里（Srinivasa Sastri）等等。甘地咭和国民大会的其他一些人物，当时正在阿拉哈巴德。便开了一次私人集会，听他们报告其圆桌会议的结果。可是，这些代表们并没有告诉我们一些我们当时所不知道的重要事件，只向我们报告了一些私下的阴谋。如某某先生如何说，某某公爵又如何做之类。我们的这些自由党诸公，一向是把私人活动看得比印度局势的实在性为要紧的。我们和这些自由党人非正式的会谈，毫无结果，不过证实了我们从前认为圆桌会议之无丝毫价值的预言为不错而已。因此，当时便有人提议由甘地咭前往会晤总督，重作一次很坦白的谈话。甘地咭也同意，他是非常愿意和与他意见不同之人晤谈的。往往也能说服对方，争取到自己一方面来。不过，与私人谈私下小事，是一回事，和代表英帝国主义的印度政府晤谈，又是另一回事。他深知此情，所以他虽愿意去，却并不对此抱若何大的希望。这时，不合作运动虽然势头稍退，却仍在进行之中。

谒见总督的事准备好，甘地咭便到德里去。临行时说，如果有重要问题时，再叫大家都去。后来不几天，我们一群人都被召到德里。每天讨论各种问题。甘地咭则常与总督会面。不过有时也停数日不会，大概是印度政府和伦敦的印度事务部须要交换意见之故。在这些时日里，有时费了很多时间去讨论字眼问题。如“暂停”文明抵抗的“暂停”二字，总督坚决反对。而甘地咭则坚持。他说，文明抵抗，乃印度人民手中唯一的武器，只能暂停，不能放弃。争论结果，双方同意改用“中止”的字样。

这时的新德里，引动了人们的注意。有很多美国记者住在德里打听甘地、依尔文谈话的消息。人们对甘地咭也很看重。最有趣的是很多地位很高的人也来拜见甘地咭了。他们从前对于甘地咭，对于国民大会，都是敬而远之的，可是，现在国民大会日壮一日，谁知道将来情形如何呢？到不如和大会及其领袖弄好为妙。不过，一年之后，当他们看见局势变动，便又回头来责骂国民大会的许多工作，并且宣称自己一向与国民大会没有发生过接触。连分区自治主义者们，现在也感觉到自己将来怕不能在新局面内占优势，也都来拜见甘地咭，向他保证，愿意在很多问题上同意他的提议了。我在这些时候，常时在清晨散步时，和甘地咭一道，我们和他谈话，差不多只有这个时候，因为其余的时间都不空。即使这个时候，有时也给客人来占了去。我们二人什么都谈，谈过去，谈现在，尤其谈未来。我记得有一次谈到国民大会。我以为印度获得自由以后，国民人会便得自动死亡。而甘地咭则以为还要继续下去。但是，必须通过一个决议，规定其中人员绝对不能接受政府的给薪职位，违者出会。他以为国民大会，这样便可以成为对政府的一个极有力的道德方面的压力。借此使政府不致于走到不正确的路上去。甘地咭的奇怪思想大抵如此，往往不易使人了解。他的所谓民主，亦复如是；他所谓民主完全是一个抽象的观念，与多数以及代表制之类的普通概念无关。他是以服务以及牺牲为基础的。他曾这样说过："我是一个天生的民主主义者，我以为，只要一个人能够与世界上最穷的人生活打成一片，他就可以自称是民主主义者的。"

甘地咭自我的父亲死后，特别关心我，十分诚恳地待我。每当我对他说话的时候，他必定十分虚心地倾耳细听。所以，有时我甚至想到我有可能把甘地咭吸引到社会主义的路上来。对于这一点，甚至甘地咭本人也说，他准备一步一步地慢慢走向前去。不过，我现在已经了解，甘地咭的思想，与社会主义的目标，是有着根本上的不同的。

这次甘地咭与总督依尔文的谈话，终于在三月四日的夜里结束了。那天夜里，我们静候着甘地咭从谈话会回来，一直到午夜才睡。差不多两点钟的光景甘地咭回来了。唤醒了我们说，协定商妥了，并且马上把协定草案交给大家看。其中的各条，都是大家讨论过的，我也早已知道。只有第二条的内容，完全出于我们的意外。

在文字上规定：[1]“关于宪法问题，未来的讨论范围，限于在英国政府同意之下，考虑在圆桌会议上所讨论的印度宪政政府的方案。这方案主要内容，曾大略述及印度政府中，联邦政体为主要之部分。此外印度职权之保留或印度利益之保护，如外交问题，印度财政问题，国内少数民权地位以及其他，亦为主要部分。”我见了心中大为不满。

这时看完之后，大家各自去休息，也不发表意见。各自到床上去考虑去了。此时，还有什么好说的呢？我们的领袖本人既已同意，则反对亦无益处。如果定要反对，那么，我们将把他一脚踢出去吗？和他分离吗？发表申明不承认吗？这些虽可使个人获得满足，却于事无补。如果一定反对，则结果必致引起很大的破裂。

再者，这时，我们业已疲倦于牢狱生活，不拟再让我们的同事们再走进去。同时，甘地咭和依尔文谈了三个星期之久，已在国内造成一种印象，认为协定即可成立，大家都期待着。所以，我们本都决定暂时与政府讲和，但必须不失掉我们基本的立场。我最注意的是两桩

[1] 条文文字，在作者原书，系列于注释中，此处经译者插入本文。

事体：是独立之目标不可放松，而联合省的运动必须解决。——甘地咭也曾把这点和依尔文说得很清楚，他说明农民们实不能缴纳政府所课的重税。目下抗租抗税运动虽已停止，但是，农民实无力缴租，则我们国民大会不能劝他们缴纳超过其能力所能缴出的租税。

然而，德里协定内容如此，难道我们过去的牺牲奋斗，其目的即在于此吗？当夜我卧在床上，翻来覆去地睡不着，总是焦急地考虑这个协定的内容。甘地咭间接地知道我因了这次新德里协定而苦恼，他第二天早上便派人请我去和他一同散步。非常诚恳地向我解释新德里协定的精神，并非向敌人投降，也并未有什么基本立场因此牺牲。他努力由有利于印度革命的观点去解释协定内容，当然十分勉强。他特别强调第二条文中所谓“印度利益”四字。协定签订后，当新闻记者来访问时，甘地咭也特别公开强调这一解释，并申明，印度革命决不放弃争取自由独立的目标。后来他又去谒见总督依尔文，把这种观点解释清楚，以免外人误会。至于国民大会派代表到圆桌会议上去的问题，甘地咭申明，派去时，必须以他这种解释为基础而进行讨论。依尔文当然不赞成，不过，他说，也不否认国民大会有权如此提出。这样一来，我也只好同意这样协定了。因为我知道，当时确别无第二条路好走。

关于这次不合作运动的国民大会入狱人员之释放，在协定之中，已有明文规定。但是，还有不少的一般的政治犯的释放问题，却仍未解决。甘地咭主张应予释放，不一定是作为这次协定的条件之一，而在减轻政治上的紧张程度以便造成更正规的空气的观点上，要求予以释放，但是，政府拒绝了。

协定签订以后，我便离开德里到勒克瑙去。第一件事便是设法停止全国不合作运动。这事是不容易做的，受到很多同事的反对。但是，这些人终于服从命令了，不过，却都不断地批评着它的不正确性。因此次不合作运动入狱的人，也都完全出来了。只有一般的政治犯仍然留在里面。这些被释放的工作者们，回到各自的家乡，都受到热烈的欢迎。可是，警察仍然来驱散各种集会，鞭打集会的群众。

德里协定结束以后，我因为狱中的生活很苦，加上因父亲之死所受的悲伤，再加上在德里终日集会的疲劳，身体变得很坏。回到家后，病了相当时期。幸而在国民大会加拉契（Karachi）大会时，身体健康恢复，终得参与会议。

加拉契大会，主要是讨论德里协定，和圆桌会议的问题。我在国民大会常务委员会上，是已经接受了这些决议案的。但是当甘地咭叫我把决议案提到大会上去的时候，我却很不愿意。但是，后来仔细考虑，自己只有两条路：要么赞成，要么反对。在常务委员会上既已赞成，若不向大会宣布，反使群众不知究竟，那是不对的。不过，当我在大会上讲演时，很公开地向大家说明我内心的苦衷，和我之所以终于赞成了新德里协定的各种大小原因。同时，因了这些同样的原因，我希望大家也接受它。结果，这种诚实而委屈求全的态度，感动了到会人员，结果十分圆满，大家赞成。

在这次加拉契大会中，却也有使我高兴的事。除了德里协定及圆桌会议的决议案而外，还有些别的进步提案。其中尤以关于“经济政策的基本权利”一案，最使我心中得到安慰。这一决议案，可说是在国民大会的历史上开辟了另一个新的境地。前此国民大会的决议，全是政治的，民族的。这一个决议，却干涉到经济的，社会的问题了。因为在这个决议中，曾定有很多减轻民众负担的办法。还有重要工业收归国有的主张。此案通过后，政府方面对于国民大会的性质，开始转变看法了。其实，这并非社会主义的提案，其全部内容，一个资本主义的国家，是都可以接受的。然而，有的人以为布尔希维克的红色势力，已羼入国民大会之中，而且，赤化一部分的国民大会领袖了。当时，并且还流传着一种谣言，说，这份提案，是某些共产党员起草的，拟好以后，他们把它交给我，我当然赞成，又把它交给甘地咭，使它成为国民大会的决议案。又说，我同时还向甘地咭提出“哀的美敦书”，说，如果甘地咭不赞成它，则我也将誓死反对德里协定。结果，甘地咭只好屈服，国民大会也只好接受了。其实，这全是一套鬼话，我对于甘地咭，即使有时偶而不赞成他的意见，也决不如此，决不会和他用市场上那种讨价还价的手段的。

不合作运动就如此结束，德里协定就如此签订了。

二三　第二次圆桌会议

我的身体需要休息。医生也劝我另觅他地从事休养。当时印度之大，却难得找到一个地方可供静养之用，因为革命风潮遍于全国，政治组织，亦在在皆是，我无论留居何处，都无法不去参加。结果，只好决定和妻子及幼女一块到锡兰去。这是我自一九二七年由欧洲回来以后的第一次休息，也是第一次和茄梦娜作安静的休养。

在锡兰的生活，十分使我感到安慰。该地的农民，差不多天天有到我们的家里来谈话的，有的甚至由很远的地方跑来，常时携带着很多的礼品如花木蔬菜和自制牛油等等，送给我们。我也常和农民们接谈，心境甚为舒畅。

后来，我们又由锡兰到印度南部去，到印度极南端的哥摩林角（Cape Comorin），到特拉凡哥尔（Travancore），到可城（Cochin），到马拉巴海岸（Malabar），到卖索尔（Mysore），到海得拉巴（Hyderabad）等地。这些地方，有的在教育方面办得很好，有的在工业方面又很进步，有的却又十分落伍。到卖索尔的班加罗尔（Bangalore）时，我曾在那里开过一次集会，升印度国旗。我离开之后，该地政府把那很大的铁旗柱打断成小段。我听了十分发气。但是，也无可如何。在特拉凡哥尔，虽然不合作运动结束，国民大会正式恢复合法地位了，然而，该地的国民大会组织，却仍被认为非法团体。在海得拉巴，则政治集会是从来没有听见过的东西。即使是宗教集会，也被政府以怀疑的态度监视着。到可城的时候，曾去参观在该地的“白色犹太”区。他们生活在此地，似乎是把该地认为圣地耶路撒冷了。在这些地方，我还看见很多的聂斯托利人（Nestorians）。这次我之所以到海得拉巴去，目的之一，是想访奈杜夫人及其两位女公子。我们勾留在那里的时候，曾有一个妇女组织开会欢迎茄梦娜。茄梦娜在会场上说话，把她最爱讲到的题目拿来讲。她主张的是妇女们联合起来，反对男人们所造成的各种法律和习惯，争取自由。后来当地有一位男人写了一封信给她，告诉她说，自从她那一次讲演以后，他的妻子回到家里，简直无法无天，不听他的话了。

周游了南印各地以后，我们又由孟买回到锡兰。接着不久，又回阿拉哈巴德，又开始参加国民大会的工作了。

德里协定成立后，依尔文总督离开了印度，继任总督为惠灵吞勋爵（Lord Willington）。当时，印度人认为事体越来越棘手。因为惠灵吞比依尔文难于讲话。这些人，习惯于由人的因素去了解政治斗争，忽略了英国政府的政策之是否转变。德里协定签订以后，并未使印度和平过日。在孟加拉，参加不合作运动的人员被释放了。但是，却又有不少新的逮捕事件发生，性质相同而名目两样。现在都用“作煽动讲演”的罪名逮捕了；在联合省方面，农民的土地运动，仍旧时有爆发。全国各地都向国民大会埋怨，说政府方面并未遵守德里协定，仍继续进攻民众。国民大会把这事的严重性告诉政府，而政府反说协定签订以后，国民大会人员毫不遵行，蓄意破坏。彼此反复责难，毫无结果。

究竟甘地咭要不要去伦敦参加第二次圆桌会议呢？

问题久悬不解。在政府方面，认为印度宪法问题，第一次圆桌会议讨论的联邦制度，已经给这问题奠下了讨论的基础。根据德里协定，第二次圆桌会议应该在这一基础之上，继续讨论。在国民大会方面，认为国民大会在德里会议时所接受的联邦制，其内容决不是第一次圆桌会议上的那种性质。所以，这问题不是继续讨论，而是从头开始。这样，彼此之间在意见上的不同大得很，甘地咭是否前往伦敦，久悬不决。

当时政府与国民大会之间的鸿沟甚深，实无法架桥。我们都不再希望在第二次圆桌会议上能与政府成立有利协定。甘地咭一向都很乐观，对此亦甚怀疑。但是，我们总觉得仍应努力为之。当时，有两种情形足以阻止我们派代表前往参加。第 ，我们希望在圆桌会议上，对于自己的立场，作自由的陈述，不能以“此事业已决定”这样的话来阻止。同时，第二，印度局势的发展，可能在政府和我们之间，产生冲突。这种冲突，也使我们不能派代表在伦敦从容地作和平的谈论。在孟加拉，政府仍继续压迫我们，而联合省的土地运动也日趋恶劣了。

在边区省，政府的无理压迫，已引起了众怒。加法尔汗已经起而领导民众，反对政府了。他到各处，都组织红衫社（Red Shirts），从事工作。他在边区省的声望日高，大家都称他为“边区省的甘地”。强悍的边区省人民，此时也接受了非暴力政策。后来加法尔汗甚为甘地咭所吸引，两人便亲密地发生接触，边区省因而成为整个运动的一部了。

局部的冲突，其实还不甚重要，重要的是有一种发展，其结果所届，必致引起更大的基本冲突。这种冲突，绝非由个人而来，乃由于印度民族革命及英国欲压制革命这一基本背景而产生。我们的民族革命运动，在其原始的时期，乃由于我们的上层分子需要发展所致。这种需要的后面，隐藏着经济的要求。这种运动发展以后，遍及于全国，乃吸收了下层分子，而渐渐地煽动了农业的乡村。这些农村群众，越来越发见自己不能继续在这种生活标准之下生活了。老的自给自足的经济，已经不复存在，家庭手工业发生，本可以减轻一些土地的负担，然而，这种工业给政府的政策击破。它敌不过机器工业而灭亡了。广大的印度农村，从此成为世界的市场。其本身又因生产手段的缺乏，以及受传统的土地制度所影响，无法自谋进步。于是，农村阶级，无论地主也好，佃农也好，情形日趋于下。而地主阶级却想把自己所有的负担，转嫁到佃农身上。于是，佃农的贫穷化过程，便以大速度进行，而这种贫穷化的结果，驱使他们走向革命的道路，加入民族斗争。农村无产阶级，被激动了。当时的民族主义，或“斯瓦拉吉”，在这些农村阶级的眼里，意思是社会的基本改革；土地制度的变新；而因此减轻他们的负担。但在政府方面，他们以为印度的问题，完全由于一些“煽动家”之作祟。只要把他们压服，则一切自无问题。

一九三〇年的印度民族运动，因为同时有着这一种社会的力量存在，增势不少。国民大会即代表着这一种民族主义的运动，民族主义运动之日趋发展，可由国民大会之声望日高一点看出。农民当然转向国民大会而将其力量加入大会身上。中产阶级的下层分子，则成为国民大会战斗部分的主干。甚至于上层阶级，也觉得宁可与国民大会保持友谊为妙了。

国民大会的力量愈大，政府压迫之心亦愈切，而彼此的冲突，也就成为无法避免的了。但是，在国民大会方面，觉得如果还有可能，仍应设法派出代表到第二次圆桌会议上去。于是，甘地咭去和总督会晤，作了二次的长谈。他们第一次的会晤，毫无结果，第二次会晤之时，情形是无论如何必须有所决定的了。但是，甘地咭因见当时在孟加拉省、在联合省，各地都有冲突，就决定：如政府对印度的和平不予保证，他决不前往伦敦参加会议。结果，一直延到八月底，载圆桌会议代表前往伦敦去的邮船，即将开驶之前，政府这才与他成立一项临时协定。目的完全在于使他伦敦之行成为可能。这时，已是最后一分钟，连最末一班火车也开了。甘地咭是坐了专车到加尔加（Kalka）去的。为了让这部专车接上轮船，使别的火车也误了点。

在八月末的一天，我送甘地咭到孟买。他坐船由阿刺伯海起程，到伦敦去了。甘地咭此去，是充任国民大会唯一的代表。国民大会曾辩论了很久，结果仍只决定由甘地咭一人前往参加。一来，因为在此重要场合，最好还是只以国民大会最杰出的人物前往参加为好。二来，我们都认为今日的重要问题，不在伦敦而在印度。

印度的实际运动，可以影响到伦敦的会议，不该把我们重要的人物，全部派去。除此而外，还有一种重大而实在的理由，是我们大家当时对第二次圆桌会议，并未抱若何大的希望。甘地咭之去，主要是去试探英国政府究竟能够赋予印度以若何之权力。如果在这一问题上无成就，则整个圆桌会议，势将无益于印度。如果能够在这一方面成立有利的基础协定，则甘地咭可以临时电召我们国民大会常务委员会的一部分或者甚至全体委员前往伦敦，共同考虑。

在会议上，英国政府当然不会使印度人民的利益得到满足。它只想把一些小的问题，拿来讨论，借此把重要的基本问题，拖延下去。国民大会提出基本问题时，他们答以必须详加考虑，尽力拖延。他们最得意的杰作，便是谈论“分区自治”的问题。会议上其他的印度代表，大多数都跌落在政府的圈套里。一些是愿意如此，一些是出于不得已。这些人，虽然充任代表，其实并不代表什么，只代表了他们自己。会场之上，无一人提及自由印度之建立的问题，也完全忘掉了争取独立的斗争。终日讨论着，争吵着，津津乐道的，是职位之类的问题。

那种人应该充任那些职位，在那一种会议上又应该占多少席位。在他们考虑之中的，是印度教徒，回教徒，塞克教徒，英印混合种以及西欧人士等等。总之，都属于社会的上层分子，下层群众，却从无一字提及。一个应该成为与英国帝国主义斗争的会议，却完全成了印度同胞互相争权的场所了。其中最无聊可耻的，是阿加可汗（Aga Khan），他和英帝国政府，紧密地联合在一块。因为他本人的利益，可说就是代表帝国主义的，封建势力的，产业资本的，金融资本的，宗教的以及分区自治派的各种不同利益的混合体。然而，可惜得很，他还自称代表印度人哩！他在会场上，最为活跃。此时，反动的英国保守党，和这些印度恶势力结合着，操纵着这一次会议。

这种情形，对于当日在座的甘地咭，当然是难于应付的。远在印度的我们，每日读着伦敦会议的消息，心中想，甘地咭到底总会忍耐不下去罢！然而，出人意料之外，甘地咭仍以伟大的精神忍耐下去。他多方设法，想觅致某种基础的谈判背景。他当然十分痛恨分区自治派所提出的很多只有利于回教徒而害及民族主义的提议。但是，他对于这些，都表示全部接受。不争论，亦不拒绝，只要求他们同意他一点，即一致行动，向会议提出独立案来。他这种要求，完全被分区自治派拒绝了。谁也不会想到阿加可汗竟可能同意争取独立的。

由这一事实看来，可知印度主张分区自治的人们，其真正目的，并不在于分区自治，而是反对印度的独立以协助英国的血腥统治而已。他们不过使用分区自治的花样，作为表面的掩护。所以，当时的英国，对于这次会议，无论代表也好，讨论的主要问题也好，都选择得非常适当，足以制止印度真正自由的提案，得到出现机会。

这次圆桌会议本身，对于印度，并非失败。因为，会议的本质，便决定它自己非如此失败不可的。印度人对此，不能负丝毫之责任。不过，它对于把国际上对印度的注意，由重大事件转向一些细小问题去一点，却得到了成功。在印度，则产生了一种幻灭、失望的情绪，和一种受辱之感。它给反动势力以借口，重新抬头。

至于印度的实际革命，却不会因为伦敦的这些手腕花样而停止。这情形，只不过造就了一些不利空气而已。

民族革命运动，代表着农民以及一般中产阶级的利益，仍旧继续着不屈不挠地斗争下去。这一运动的发展，只有二途：或者得到成功，达到其民族自由之目的，完成任务后，让位于其他运动去；或者，暂时地被政府压迫一些时候，然而，它总会仍然继续下去的。

二四　大逮捕

在甘地咭起身到伦敦去开会之后不久，印度即有两桩事体发生：第一，是喜吉里（Hijli）的拘押犯（Detnus）之暴动。喜吉里这地方，是一个拘押犯的拘留所。在拘留所内，不知怎么一来，一些拘押犯攻击所中职员。职员们就向他们开枪乱射，结果死者二名，伤者无数。这消息传到外面，群情鼎沸。政府乃就本地官吏，派定数人，调查此事。调查结果，说，职员们开枪射击，乃是合理之举。政府的公报发表后各方得知其中弊病的，更表不满。后来，另由孟加拉政府委派一个由高级司法官员们组织起来的调查委员会，重新调查。这才发见责任完全在职员方面。另一件事，是在起塔贡（Chittagong）有一个恐布分子暗杀了一个回教徒的警察，也因而牵连了很多人。

我对于暗杀手段，颇不以为然。我认为暗杀并非革命的正当手段，其结果反而引起很多不利。一九三一年十一月中，我到加尔各答去，在那儿参加一些群众集会，在对群众讲演的时候，我曾指称暗杀手段之不正确。不过，对于这些恐怖主义者，我却并不如某些人那样，骂之为懦夫。因为，一些经常冒生命危险以工作的人，名之曰懦夫，似亦不大妥当。这次讲演，引起了一桩意外之事。当我正要离开加尔各答到车站上去的时候，有两位二十多岁的青年人前来拜访。一看，不认识。但是，我也就马上了解了来客的意思。于是，在匆忙之中，和他们辩论。我仍旧坚持不以为恐怖政策乃正当手段。二位青年终不信服，临辞之时，告诉我说，我这次的讲演，对他们很有不利，希望我以后不要如此；如果不然，便将以对付过别人的手段来对付我。离开加尔各答后，我在车中仔细考量，甚悔未得作较长时期的勾留，把二青年由理论上予以说服。这些青年，如果能将其说服，使他们把他们的身体与毅力，用之于正当途径，也许会产生好大的好处。

十二月里，第二次农民代表大会在阿拉哈巴德开会。会后，我和茄梦娜到孟买去。这时，茄梦娜又生病了。我准备把她留在孟买医治。我刚刚到孟买的时候，便听到了一个消息，说，联合省的政府，又颁布了一项法律，本是用以对付该地的土地运动的。但是，这项法律的内容，却十分广泛。严格地实施时，差不多任何一种政治活动都成为不可能了。并且，规定对于犯罪者的家庭，亦予以同样的处分。这时，甘地咭已经在由英回印的途中，大约一周之后，即可在孟买登陆。我本应等待甘地咭来后，再回阿拉哈巴德。可是，这时实在等不住了。很多同志同事又在阿拉哈巴德被捕入狱的消息，不绝于耳。除此而外，该地国民大会的省委员会，也定于周内在依他瓦（Etowah）召集。我必须前往参加。便决定把茄梦娜的病体，留在孟买，自己赶回阿拉哈巴德。打主意六七日后，如有暇，再回到孟买来接甘地咭。

还没有到达阿拉哈巴德，我便接到一份根据这项新法律所下的命令，禁止我，不许作很多活动；一到阿拉哈巴德车站，又看到一份同样的命令。一抵家，又看到，不许我公开讲演，不许在报章杂志上发表任何一种文章，不准走出阿拉哈巴德市区以外等等。同样的命令，有很多同事都接到。第二天，我写了一封信给本地县长，说命令都已接到，不过，我仍须以平常的态度，做我平常的工作。并且，在我的工作计划之内有到孟买去接甘地咭一项。同时，我也还得参加一次国民大会常务委员会的会议，因为，我是该会的秘书。

我这次回阿拉哈巴德，本是想来设法延缓省委员会之召集。因为，这刚好与甘地咭到来之时间相冲突。我一到，便得悉联合省省政府已经通知国民大会省委员会的主席希尔晚利（Sherwani）说，如果这次省委员会所讨论的，是关于土地运动问题，那么，便不许召集。显然的，我们要讨论的，正是这样的问题。我们同志之中，本有很多人主张延缓召集的。政府这种干涉，反而激怒了这些人。因此，很多人反而主张一定得如期召集，不顾一切。但是，经大家仔细讨论后，认为甘地咭就要到来了，不妨忍耐一点，避免冲突，免得甘地咭一上岸就碰着困难问题。于是决定暂缓召集会议。

希尔晚利和我，决定离开阿拉哈巴德，一同到孟买去接甘地咭，那是十二月二十六日的上午。我们进车厢以后，读到本日的晨报，知道很多同事，又被捕了。正在苦闷之中，火车忽然在一个小地方停了下来。走上来一位警察，把我们二人加以逮捕，拖上在路旁等候着的一辆卡车，又给送到赖力监狱来了。

我被捕的后二日，甘地咭在孟买上岸。上岸后，才知道最近国内情势的发展，以及同事们又大批被捕的消息。很明显的，和平之门紧闭了。但是，甘地咭仍努力着，想找出一条出路。他计划与总督惠灵吞晤谈。总督的答复说，晤谈是可以的，但是，必须有一个条件，即不许提及最近在孟加拉省和联合省等地所发生的事体，亦不许提及联合省这次颁布的新法律以及根据此项法律而逮捕人员的事体。这些事体，本就是当时轰动全国的事件，也正是甘地咭所欲马上解决的事件，舍此而不谈，则这次晤谈，其结果岂不是晤而不谈吗？事实非常明白，政府是决心打击国民大会的了。他不需要什么和平。我们常务委员会的面前，只剩下一条可走之路，即非恢复文明抵抗运动不可了。如此做去，大家都知道个人的前途都是被捕入狱，但是，大家仍然坚决地通过了实行文明抵抗运动的决议案。当时甘地咭却未放弃和平的希望，他打第二次电报给总督惠灵吞，要求作一次无条件的会谈。这一次，总督先生的答复，是把甘地咭以及国民大会主席配特尔予以逮捕。这是一九三二年一月四日的上午。情势如此，斗争已无法避免了。

就在甘地咭被捕的这一天，我的案件也就开始审问。这次是根据所谓联合省紧急权力法。希尔晚利被处六个月的徒刑，一百五十卢比的罚款。我呢，则被判处以二年之徒刑，五百卢比的罚款，罚款折合徒刑六个月。但是，我们二人所犯的罪，是一样的。其间之不同，也许是由于我曾经写过一封信给县长，说自己要到孟买去，公然反抗命令，而希尔晚利则并没有做过这样的事罢？不过，他之要到孟买去，报纸上也是公开刊载过的。除这一点而外，我们二人的情形尽同。一样地接到命令不许活动，一样地而且同时地上火车前往孟买，又同时被捕。因此，被判决后，希尔晚利问负责审判的法官，他之所以得少处徒刑，少罚款，是不是由于“分区自治”的想法。这话，使得在场的其他人都笑了起来，而法官先生则狼狈不堪。

元月四日这一天，是最激动的一天。在阿拉哈巴德，大批的群众和警察及军队，大起冲突。警察又是拼命乱打一阵，结果，群众死伤均重。各个监狱的囚犯，越来越多，挤不下，后来只好另建新的临时监狱。国民大会当然被宣布为非法团体了。非法组织的名单，以国民大会常务委员会为首，其次是各省的省委员会，再次，是不计其数的地方委员会。除了国民大会而外，还有很多别的团体，也都是一律成为非法了。如农民组合，青年同盟，学生联合会，稍为进步的各种政治组织，一部分中学校与大学校，医院，国货公司，以及很多的图书馆。总之，多得数不清，每一张名单都是看也看不完的。

这时，茄梦娜正在孟买患病。她心中十分愤怒，深恨自己无法参加文明抵抗运动。我的母亲和两位妹妹，都出来参加实际工作了。后来，两位妹妹也都一律入狱，各被判一年的徒刑。

外面的报纸，对于此项消息，很少刊载，一方面由于严格的检查，一方面由于对报馆那严厉的处罚。在一些省份中，甚至连提及狱中某人之名亦成罪名。

我们困住在狱中，用各种方法，消磨时间。我自己则除读书织布等工作而外，用了很多时间，考虑整个革命的前途，同时，很详细地，很理智地检讨自己个人的缺点。

时光是不快不慢地由监狱门口过去了。四月里我在狱中听到母亲受伤的事：四月六日到十六日，是“民族周”，这一天，阿拉哈巴德又发生了游行示威的队伍。我的母亲也参加其中。队伍给警察阻止了，警察们又是一阵乱打。打过之后，队伍当然也就中止前进。有人替我的母亲找了一张椅子来，把椅子摆在队伍的前头，她就坐在椅子上。本来最初有人在侧照顾她。后来，警察开始逮捕人，照顾的人也给逮捕去了。接着，警察到她面前来了，把她由椅上拖下，用手杖在她头上乱击。头给击破后，血流满地，她也因此晕过去，被遗于路旁。过了相当时间，一位警察官过路看见了，这才把她放在他自己的车里，送她到家。当夜，因为外面流传着谣言，说她已重伤毙命，群众们得悉此讯，大为愤怒。大家全忘记了非暴力的精神，竟向警察进攻。警察开枪扫射，略有死亡。事后二三日，我才得知母亲被打的消息，心中极为伤心。她的伤渐渐好了之后，在第二月里到狱中来看我。

这一次英政府的态度，与一九三〇年那次大大不同。在一九三〇年的时候，国民大会系采攻势。这次，采攻势的是英政府。对于妇女，从前政府是有意宽容。这一次，因为印度妇女竟和男儿一样地英勇斗争了，便改换了态度。对于妇女也同样加以逮捕。入狱之后，故意虐待她们，想借此减杀她们的斗志。对于革命人士的财产，这次也是肆意掠夺。我家的住屋也给警察封占。有的东西给拍卖折充父亲和我应缴纳之赋税。

被捕后，在赖力监狱关了六个星期之后，给转移到百吕尼监狱(Bareilly District Jail)去。在里面关了四个月，又送到在喜马拉亚山麓的德赫拉东监狱。自此以后，就一直在其中生活，差不多一直到二年徒刑期满之时。

在狱外，不合作运动是日趋向下了。渐渐地也就失掉了群众运动的性质，加以英国政府不断地予以严重的打击，其后，终于在一九三五年五月中停止了。此后的不合作运动，在理论上，虽然仍旧讨论着，宣传着，在行动上却一点也没有了。而另外一部分印度人，则正在这一段时期内，在伦敦替印度起草宪法，想借一九三二年的第三次圆桌会议，来完成此项工作哩！在狱内，一九三二年与一九三三年，对政治犯的待遇，亦显然与一九三〇年之时，大不相同。一九三二年时，一位监狱总检察官，曾于六月三十日，发出一道命令，指示各监狱对政治犯的态度云："对于因不合作运动而被捕入狱的政治犯，如予以特殊之待遇，殊属不合。自此以后，对于此一类人，应待以严厉之态度。"以后，各监狱中，对于政治犯之鞭挞，日有所闻。对于妇女亦然，我住的牢房隔壁，便是一个囚禁女犯人的所在，中间以高墙阻隔。然而，隔壁严酷地对待女犯人的严厉的声音却越过高墙，走入我的耳里。

由百吕尼监狱送到德赫拉东监狱的时候，是和巴拉哈·潘得一道。监狱当局恐怕惹起群众的游行示威，不敢让我们在百吕尼上车。另用小汽车把我们送到距离百吕尼五十英里的小站后，才让我们上火车去。

在离开百吕尼的时候，百吕尼地方的警察署长（英国人），把一卷报章杂志送到小汽车里，交给我，并且说，他知道我正学习德文，这里面是一些德文画报，特意地替我找来作消遣时光之用。我并不认识他，自那次以后，并未曾再度碰面，甚至于连他的名字我也不知道。这样小小的事体，使我心里十分感动，在火车上的全部时间，差不多都是用以考虑着这一桩小小事体所引起的很多问题。想到英国个人与印度个人之间之关系；想到英帝国通过个人而实施其残酷政策时所发生的各种情形等等。

我的狱中生活，由一般的情形说，可说是比较好的。在狱中，有很多时候都可以阅读报纸书籍，可以会见家人和写信等。我算是“甲级”囚犯，还蒙特许在狱中写文章和做读书札记。我常时以运动来锻炼身体，以阅读来充实自己。有时，我还继续不断地写信给我的女儿，教育她。在这些长长的两年徒刑之中，我曾写了不少的信给她，信中杂谈历史上的琐碎事件。这些信件，她都一一保留着。现在已集成一书，名曰《世界史琐闻》（*Glimpses of World History*）出版了。

在这几年以内，国民大会虽然在政府方面已经宣布为非法组织，但是，国民大会的人们，却永远不会把它抛弃。曾经计划召开过两次大会。一次拟在加尔各答，另一次拟在新德里。一个不合法的团体，要来召集公开会议，其必然的结果，是不言而知的。两次会都被强暴的力量驱散。一方面大事鞭挞，一方面择要逮捕。会议虽然没有得到良好结果，但是，全国各地的人们，在此种困难局面之下，仍能不远千里前往指定地点开会一事，实足以证明印度革命人士的英勇了。加尔各答的大会，系于一九三三年三月底召集。我的母亲也坚持非去参加不可。但是，在赴加尔各答的途中，和马拉维亚咭一道被捕了。并在阿参沙耳（Asansol）拘留了好几天后，才予以释放。母亲在这几年之中，一方面看见父亲为印度革命牺牲，至死不屈；一方面又见我们已生活在监狱之中，一个儿子，两个女儿，都同时尝铁窗风味。她也因此下了决心，要全家为此伟大事业而奋斗。所以，虽然年事已老，她仍竭其所能，参加各种活动。我在狱中得知她的消息，一方面兴奋，一方面也担心她那老弱的身体。

二五　文明抵抗的停止与白皮书的公布

一九三二年十一月的时候，我在狱中得知甘地咭因反对麦克唐纳（Mr. Ramsay Mac · Donald）关于贱民阶级（Depressed Classes）[1]单独选举区的划分问题，决定“绝食以至于死”了。我得知这一消息以后，心中甚为苦恼。甘地咭又作了如此绝对的决定，我恐怕再无缘和他碰面了。最后一次看见他，是一年前他正登船赴英的时候。

甘地咭正当我们全民族全面斗争的此时，又为这样的小问题而采取如此绝对的牺牲。此结果一定影响我们

[1] 贱民阶级是不列入身份之内的一群人。印度教本有四身份之区分，第一是“婆罗门”，第二是“刹帝利”，第三是“吠奢”，第四是“首陀罗”。贱民，是有身份之人所不齿的，大家不与之接触，麦克唐纳的选举区独立，在甘地看来是把贱民完全与印度教分离，他认为要在印度教之内去提高贱民的身份，誓死反对这一决定。

的运动，这是不消说的。我因此心中十分苦闷。我对于甘地咭对政治的那种宗教的观点，甚不赞成。他常时把上帝援引到政治斗争上来。他甚至于好像暗示说连他绝食的时日也是上帝决定了的。这是一个多么不应该树立的榜样啊！

我想了又想，思考十分混乱。我感到愤怒和绝望，同时，又爱着引起我这种苦恼的甘地咭本人。我当时不知如何是好。对于任何人都动辄乱发脾气，不过，很多时候，却是对我自己发气。

但是，好像奇迹之到来一样，我在愤怒苦恼达于极点以后，忽然又镇静下来了。我想，甘地咭往往会做出一些出人意外的好事，而于整个革命运动发生好的影响。同时我还想到，即使甘地咭因此死亡，我们的民族革命运动也决不会因此死亡。所以，我甚至于准备着等候甘地咭之死，仍把自己的意志紧紧地把握着，毫不动摇地准备应付世界的一切事变。

果然，甘地咭的行动在印度教徒中，引起了一个很大的热情之波。我想，这位坐在那拉吾达的短小身材的人，是如何地能把握人们的心啊。这时，他发了一个电报来给我，这是我被判罪后第一次接到他的音讯，电报内容是：

“在这些苦恼时间当中，当时想起你。我非常迫切地希望得知你的意见。你知道我对你的意见是很尊重的。看见了英底及施鲁蒲的孩子们。英底看来更有力气了。经过甚好。电复。爱。”

这电报是特别能代表甘地咭的性质的。他竟在他绝食的苦恼当中，不忘提及我的女儿英底娜和我妹妹的孩子们去拜访他的小事。并且还提及英底娜长得更有力气了（这时，我的妹妹也在狱中，孩子们却在浦那读书）！他永远不忽略人生中的小事，其实这些小事是很关紧要的。

这时，关于选举区问题业已有某种解决办法的消息传来了。我同时回复甘地咭一通电报，述说听到他绝食消息以后的感情上的反应。并说，自己无法从宗教的观点出发供献意见。在浦那，很多人聚集起来，商就一个“协定”了，英国首相也很快地予以接受，把他从前的决定修改了。于是，甘地咭的绝食终止了。对于“浦那协定”，我是欢迎的，但是，并非欢迎它的内容。

哈里人（Harijan）[1]运动在甘地咭的指导之下，发展甚速。但我对这事，却大不满意。诚然，这一运动确实有利于贱民阶级，他们的身份也确实应该提高。但是，当时我们还有着更重要的工作文明抵抗在。甘地咭此举，事实上是把大家的注意力，由重大事件上引到部分的小运动上去了。这时，有很多国民大会的工作者，受此影响，避难就易。我们的运动气势，因此日衰。不过，文明抵抗运动，当时仍然继续进行着，并且在一九三三年三四月的时候，加尔各答的国民大会还有着群众的大示威。而甘地咭却专心于别的事去了。他在狱中，获得允许继续指挥“哈里人运动”。这一切，甚使我苦闷。

几个月以后，在一九三三年五月之时，甘地咭又开始了他的二十一日的绝食。消息传来，我也不免忧心，然而，我却也习惯了。这种绝食，在我看来是不可思议的，如果我事先被叩询意见，我一定要反对。但是，我因尊重甘地咭的意见，心中虽然不快，也仍力求忍耐。他开始绝食之前不几天，曾经写一信给我。这信使我十分感动。因为他要回信，我便发了一个电报给他：

---

[1]“哈里人”是甘地用以称呼贱民阶级的一个名辞。

"信悉。关于我所不能了解的事，怎能开口呢？我迷途在一个奇怪的国土里，你是我唯一的指路碑，我想找寻可走的路，然而，失足跌倒了。不管什么事行将发生，我的爱和思想，终于永远和你在一块。"

我是不想在外表上表示出我对他的行为的反对来，但是，我这电报分明不会给他以快乐。我想，我们应该接受一切，应该尽可能地在他的苦恼时间安慰他，便发另一个电报给他去，说我对他的行动，现在较为清楚地了解了。

他终于没有因绝食而死，第一天便被释放了。因了他的劝告，文明抵抗运动，被中止了六个星期。这次的中止，给这运动以一个致命的打击。在六月中旬的时候，中止的时期，又延长六个星期。然而，在政府方面，对于我们的打击，却从来没有停止攻势过。在安得曼岛（Andamon）上的政治犯，因为待遇问题，发动了绝食同盟，实行抗议。结果有一二人因绝食而死。这些政治犯们都是孟加拉判罪以后送到安得曼岛上去的。印度有些人因安得曼岛上对政治犯的虐待，表示不满。在印度的集会上演说表示抗议。这些人们也因此被捕了。几个月以后在一九三三年九月之时（当时我已出狱），很多有名的人如泰戈尔·安特烈等发表呼吁，要求对安得曼岛的犯人应施以人道的待遇。当时签名在这呼吁书上的人，大半是与国民大会无关系的人。印度政府的内务部，对此大为不满。对于同情政治犯的人们，大加指责。后来，我记得在孟加拉连表示同情政治犯也成为罪名。

在中止文明抵抗的第二个六星期结束之前，我们在德赫拉东的监狱内，听到甘地咭在浦那召集了一次会议的消息。在这会议上，甘地咭劝告大家终止了群众式的文明抵抗，采取个别式的行动。这次会议最使我们惊奇的，是完全没有对现在的局势和我们的目标，加以讨论。国民大会人士，差不多两年不相会了。在这两年以内，在国际上尤其在印度国内已有很多重大之事发生了，如英国政府白皮书的公布便是，其中是关于印度宪法之改革计划。这时，外面已有很多传说，不但来自对国民大会的拥护者，也来自自由党人。都说，国民大会已经放弃争取独立的目标了。我想，当此之时，至少应该强调地指出我们的态度，使大家明白了解。如果可能，还该提出关于社会的经济的目标，以资号召。然而，会议却并不如此。甚至会场上还有和政府谋取“和平”的声音哩！甘地咭送了一通电报给总督，要求晋谒谈判。总督的回答是：“不行。”于是，甘地咭又送出第二通电报，提到“光荣的和平”。此时，政府方面，在胜利之余，正企图完全粉碎印度的民族运动；在我们方面，有不少的政治犯在安得曼岛饿死。还有什么和平好讲呢？

重大的压迫仍继续着。自一九三三年二月起，公众集会都一律被禁。那时，连举行一次纪念我的父亲周年祭的会，也不准举行。而这次会，在性质上并非国民大会的会议，而且，当时的主席是准备由萨蒲鲁去担任哩。

至于印度的未来，英国政府给我们的恩惠，是那份白皮书。这是一份大可注意的文书。它规定印度成为一个光荣的印度国。其中的政治组织是联邦制，占优势的，是封建势力的代表。至于封建的土藩行政，则一仍其旧，不许外部干涉。我们仍被一条铁链锁在伦敦城上，金融也仍被英国银行所成立的一个准备银行所主宰。对于投资利益，必须保护。新的投资亦将增加上去。在国家组成上，高高在上发号施令决定一切的，还是总督先生。这样一个宪法拟定了，主要内容是把印度的手足加铐，使其无法活动。

这就是第三次圆桌会议结束以后，英国给予我们的恩惠。在这一段期间，我们还听到很多话，说：英国政府对我们，现在是空前的慷慨哩。

这时的国民大会，在长时间的斗争之后，精疲力竭了，对于政府无法施以有效的压力。

二六　长时期徒刑之终了

我出狱之期快要到了。因为在狱中“行为良好”，三年徒刑减少了三个半月。被释放的消息，反把我在狱中的平静心情——或者，无宁说狱中所产生的麻木状态——打破了，我出去以后，如何做呢？这种困难问题，把我出狱的高兴赶跑了。不过，这到底是暂时的感情，我精力久被压抑，心中实在迫切地要求出去。

在一九三三年七月的月杪，我得知孙加普他（J.M. Sen-Gupta）在狱中病死的消息。鲍斯（Subhas Bose）在狱中，身体也弄得不成样子。不过，政府准许他到欧洲去医治去了，这时，老瑞士配特尔也病在欧洲。真的，我们有多少的同事，都在监狱的非人道待遇之下，破坏了身体啊！孙加普他之死，使大家看出这种可怕的无声的监狱苦难，正在国内各地继续着。我也感到身体疲倦，心情衰弱。这种情形的发展，其将伊于胡底？不过，我还算好的，身体比他人为康健。一方面，由我身体的先天结构，本来很好；另一方面，我在狱中，又加意保养，因得免于大难。我的家庭，和一般的婆罗门教徒一样，是肉食的。但是，自一九二〇年的不合作运动以后，我便已改为素食。一九二七到欧洲去，曾一度吃肉，欧洲回来，我又改食素了。一直到此次入狱，仍保持这种习惯。在狱中的时候，我每每食不过饱过饿。所以，虽曾有一次小病，结果仍无伤大体。

八月初，我正在狱中等候着释放的时候，甘地咭（此时他已被释放）又在外面发动不合作运动了。他向政府致送最后通牒，决定八月一日开始行动。正当他向古者拉特的农民们解释不合作运动的时候，政府又把他逮捕了。又送他到老地方的那拉吾达监狱中去，判处一年之徒刑。入狱后，他仍要求政府和从前一样给予他在狱中自由地对哈里人运动给予工作指示，政府不答应，他于是又开始绝食。绝食一周后，身体变坏，政府仍不答应他的要求，也不释放他，只把他送到医院中去。他身体已临绝境，已和朋辈诀别了，并且把一些遗物，分赠各人。可是，政府却不让他死在他们的手中，当夜把他释放了。这一来，终于又救活了他。安特烈赶到印度来，终于把甘地咭由死境挽回。

正与此同时，我于八月二十三日从德赫拉东的监狱被转送到赖力监狱。这时，我母亲的病重入院的消息传来了。我本来应于九月十二日才出狱。这一来，提前了十三天，于八月三十日释放了。

我一出狱，马上便到勒克瑙去看母亲的病，并在勒克瑙侍奉母亲很久。这次入狱为时甚久。出来之初，觉得世界大变，左右人物，也与前不同了。各种客观事物，都上前跑了许多路，只有自己给遗留在后面。看见这种情形后，我的第一个反应，是要赶紧使自己适合于这个新环境。可是，第二个反应，却以为自己恐怕在外不久又必须重回狱中，倒也不必急急于使自己适合于一种即将离开的环境了。

这时，以政治的观点说来，印度颇为沉寂。是富有极大的重要性的沉寂。政府在各方面都严格控制。任何一种政治活动，尤其在农村里的活动，一发生，马上便被制止。全国充满了警察、军队和情报组织，公开地也秘密地监视着印度人民。一切曾以不合作运动入狱了又出狱的人们，政府由多方面设法禁止其参加市政工作以及在市立学校任教等。各种机构受到警告，如果任用他们，即停止政府津贴。此事在孟加拉方面，政府甚至颁布法律，不许某些工作机构雇用参加过国民大会的人士，以及一切曾以政治罪判决处刑的人们。

这些时候，正是纳粹党徒在德国大肆猖獗的时候。英国方面的理论，也多起来了，据说，如果印度在纳粹统治之下，其残酷又不知要到如何程度。由此观之，足见英国是多么民主，多么客气的。真的，如果印度在纳粹统治之下，其痛苦也许更深。但是，这我难以判断。一方面也许更痛苦之压迫，另一面，是已经很痛苦的压迫。然则，我们被压迫者唯一的出路，便是非接受其中任一方面不可么？并且，当时的英国政府，对于印度，其统治手段，究竟与纳粹的法西斯手段相差几何呢？

我此时关心着母亲的病，也关心着仍在床上的甘地咭。很想去看甘地咭，一方面也有必要和他讨论一些政治上的问题。不但对于印度的政治，对于国际的局势，我也以为有详细地加以考虑的必要。但是，母亲的病太重，使我无法离开她。

自父亲死后，家庭生活作风大变。我自已经不备用小汽车了。一来因为负担过重，无法开支；二来这一类的东西，只要一有事故，必须斗争，便往往马上被政府查封去。而我之入狱，总是无可避免的事。虽然我自己已经数度入狱，对于狱中生活，早已万分厌倦，也不想再去尝试了。可是，除非我决定完全脱离政治，不然，我和英国政府之间的冲突，总是无法免除的。出狱后不久，自己知道不久于狱外，我的二妹妹克吕惜娜就要结婚，我便主张赶紧准备，免得会有无法参加的情形。这时，克吕惜娜也刚刚出狱不久。

母亲的病情形稍佳的时候，我就马上到浦那去看甘地咭。我和甘地咭不见面以来，已经两年多，看见甘地咭虽然仍卧病床中，而身体已日益走入好境，我很高兴。我们谈了很多，有时甚至出于争辩。不过，甘地咭总是常想尽方法使我得到满足。而我也尽力不去过分地说到使甘地咭不能接受的话。我们彼此在革命主张上的不同，在于我不以当时国民大会的政策为满足，总希望国民大会注意到整个社会改革这方面去。甘地咭呢，他不去提到较远大较原则的问题，他只想计划着各种局部的、具体的枝节行动。关于目下仍未停止的不合作运动，我们两人均主张继续。即使在十分低潮严重的期间，也不停止。同时，我自己则决定把群众的注意力吸引到社会主义的理论方面和国际局势方面去。

在离开浦那回来的途中，我到孟买去玩了几天。在孟买碰到了许多朋友，差不多都刚从狱中释放出来。这时的孟买，社会主义运动的空气很浓厚。大家对于国民大会这几年来的政治路线以及国民大会的上层领导者们，尤其是甘地咭，多所批判，对于这些批评，我多半同意。不过，我自己却很明白，在这些政策决定的前后，无论我也好，整个国民大会也好，都经过了长久时期的内心的斗争的。同时，我有一种感觉，当时的社会主义者对甘地咭的批评，说他反动，由理论上说来，倒也真是无懈可击。而且，国民大会却也有应受指责之处。但是，甘地咭本人，其实是很知道印度，很了解印度的。年来之所以如此，也确是遵照着实际的需要与可能性后，才决定的。并且，除了国民大会而外，别的进步分子，似亦并无若何具体办法足以代替国民大会所采取的活动方式。另外一方面，我还深深地感觉到国民大会机构上的不够完全。我以为，国民大会的政策，应该欢迎大家的批评。把自己的路线，建立在客观的正确批判上。但是，国民大会却无法做到这一步。很多的大事，事实上的确非依靠甘地咭的决定不可。虽然我自己很虚心地听社会主义者的批评，而对这些批评，却也有着自己的把握。我以为，当时的印度，除孟买，加尔各答等大工业城市的产业工人外，其余的地方，主要生产者还是农民。印度的社会革命，差不多可说完全是农民问题。科学的马克思主义，对于帮助印度革命者去了解国际问题和印度问题，无疑的有着很大的好处。但是，如果机械地应用它，机械地把资本主义国家内的社会主义革命方法盲目地用之于印度，恐怕也不合用。因此，当时社会主义者指责国民大会的缺点，我是同意的。不过，他们有很多地方，都纯粹由工人为主体的立场而出发，在殖民地的印度，是否正确呢？我却怀疑着。

二七　独立乎？自治领乎？

当我到浦那去看甘地咭的时候，曾陪伴他到印度服务社去过一次。社中一些人员，问甘地咭很多政治问题，他都一一答复。不过，他们所问的都是一些无关重要的问题。他们问及甘地咭前次拜谒总督而总督竟毅然谢绝等问题。印度服务社的很多分子，是自由党（即温和派）的骨干，当然是活动于政治界的人们。然而，在印度正激烈地斗争着的今日，无数的政治组织被认为非法团体，农村破产与工业不景气产生了无数的失业群众，在孟加拉，边区省等地，有很多惨案发生。集会、出版、言论等自由，被残酷地摧残着。此外，还有着很多本国的及国际的其他重大问题。然而，当此之时，他们所向甘地咭提出的，却是这些琐碎的事体。

我觉得，自己好像走入了一个修道院中，其中居民，早已不知现代社会正发生些什么事。然而，他们还正是一些活跃于政治界的人物呢。

一般地说来，由于问题之如何提出，可以测验出一国的政治发展情形为如何。革命之失败，往往亦由于问题之未能正确地提出之故。我们过去斤斤于对政治作各种小问题之讨论，足以表示出国民大会之落后性。同样，由自由党人当日对甘地咭提出的这些问题，也可以想见印度服务社的活动，其实际究竟如何了。

印度的自由党，其实并不如名称所示的那样好听，是很容易被人误会的。自由党究竟本质上是什么样，很难说。因为，他们并无一定不易的立场。人数虽少，却往往彼此冲突。他们在这个社会里面到处看出错误，在在设法避免错误，想借此方法寻出真理。真理，在他们看来，是存在于两极端之间的。凡遇着他们认为过激的事体，便大加批评，以示自己之稳重。

温和与保守以及对于危险和突变之事的力求避免，本是老年人的特性。可是，印度的社会已在大大转变之中，而温和派诸公，却不计及此。他们本是代表一部分生活优裕的人士。如果说“印度独立”，他们也可以赞成，也可以静候。但是，对于任何一种彻底的革新，便誓死反对。在这种反对的工作上，他们却绝对不温和。所以，自由党，在最后，他们非接受英国政府的观点不可。

其实，自由党与国民大会，其间的区别，实不在于态度之温和与否。国民大会人士之中，亦多温和之流。所以，一般的国民大会人士与一般的自由党人，其间区别虽大，仍然没有很明显的分界线。自由党的较前进的分子，和国民大会的落伍分子比较起来，其勇敢有过之而无不及。不过，由于甘地咭之领导，一切国民大会的分子，都未与现实工作脱离，都与国人保持着接触而自由党则反是。因此，前者趋向实际，而后者则日趋空虚。

在过去十七年之间，成为影响国民大会之政策的人物，差不多都是由中产阶级出身。无论自由党和国民大会，其分子都是属于同一的中产阶级层，也在同一的环境中生长发展。其社交生活等等，无一不同。由意识上说，彼此相似，只在气质上或心理上略有差异。彼此之间的分野，或者也就由此开始。结果，一部分倾向于政府以及中产阶级之上层，另一部分倾向于中产阶级之下层。后者的后面，还有一部分失业的知识分子以及由其他较低下的社会组织中出来的人们跟随着。由于这种发展的结果，温和分子为求安全，退而隐居。但是，在国民大会中，最初仍充满着上层阶级的气色，后来才渐渐是中产阶级的下层分子占优势，相当地和农民发生联系。自此而后，便越来越接近农民，自由党与国民大会之间的鸿沟，也就越来越深。自由党人是无法了解这些下层分子在政治上的各种活动的。其实，在最后的分析上，双方的意识形态还是民族主义的，是布尔乔亚的，彼此之相差，是程度上的问题，而不是性质上的问题。

在自由党看来，印度的问题，只是改变目下行政颜色的问题。或者，至多是换个新的行政组织而已。他们是不会想到另外建立一个新国家的。他们是喜欢“斯瓦拉吉”的。不过，在他们看来，所谓“斯瓦拉吉”者，是一切既存机构之继续，所不同者，是在这新环境中，其主宰者为他们自己。他们代替了现在英国人所占的地位，其余则一律如旧。由本质上说，他们所希望的，是现状维持而人事调动。欲达到这种目的，他们的方法是靠英国的好意。所以，他们的政治活动，是以大英帝国之继续存在为基础。他们把大英帝国认为是不可动摇的。

只企图把自己适合于大英帝国的政治的以及经济的意识形态，甚至于道德标准。而这种意识形态和道德标准，是确保大英帝国之永存不垂的要素。

至于国民大会，其主张则有根本上的相异。国民大会要求的，是一个新国家之出现，而非行政之变更而已。至于这一个新国家将以何种姿态出现，也许目下仍无明显计划，而意见也许仍多不同，但是，在国民大会人士之中，有一种共同立场是很明显的。这种共同的立场，即主张必须扫除既存机构，作基本的改革。这里，就是“自治领”与“独立”间的不同。前者是保存着现状，外表独立而实际上有形地或无形地被大英帝国所束缚；而后者，是获得一切真正的自由。

印度问题，既不能依靠英国人的好意而解决，印度革命运动之发生也决非印度人对英国人在感情上不睦所致。我现在是坐在英国监狱之内撰写此书。过去数月之内，我也曾饱受各种苦恼，也曾遭受各种痛心之事。然而，我仔细地检讨我自己的情感，实在毫无反对英国或英国人的因素存在其间。我痛恨大英帝国的帝国主义政策，痛恨英国统治阶级之压迫印度。但是，我却从不想到要全体英国人负此责任。甚至即使我果作如是想，其结果亦无不同。因为，向全体英国民族大发脾气，或者，向他们唾骂，是颇为愚笨的事。其实，他们也正和我们一样，是环境的俘虏。以我本人而论，我的学校教育，差不多完全是在英国受的，在养成人格上说，英国的意识形态是占据了相当重要的地位的。我实在应该感谢，我因为受了很多先入观念的影响，态度往往是袒护英国及英国人的。在很多一般的问题上，我的观点，多与英国人相同。然而，这一切却丝毫没有能力阻止我对英帝国主义的反抗。所以，印度问题实与英印人民之感情无关。印度人反抗的，是英国的统治而决非英国或英国人民。我以为，印度人应该尽可能地与英国人和其他外国人接触。印度因年老而力衰，应该向外面去吸收一点有益于印度的空气。不过，如果英人以虎狼之势前来，印度人当然不能和他们交好。现在，事实上，印度人是拼死命地与一只老虎斗争。真老虎是可以设法教驯的，可是，帝国主义却不是可以教驯的东西，必须出以死斗的方法而后可。英帝国主义和自由印度，是绝不可调和的东西，无论用武力也好，用糖果也好，总无法在两者之间诱致调和。必须英国的帝国主义，整个地在印度消灭，才能产生一种英印合作的背景。

自由党和各色各样的和平主义者们以及英国的所谓社会主义者们，都唱着一种好听的高调。他们对我们说，争取独立，是一条很窄狭的道路。因为，现在的国际局势，是越来越发展为彼此有关彼此依靠的情形了。如果自己独立，岂非倒开钟表么？但是，这些先生们的结论如何呢？他们说，印度要过这种互助互赖的生活，必须与大英帝国并在一块儿。

我不知道印度获得自由之后，其情形将为何如？亦不知彼时的印度，将作何事？不过，我却知道，印度主张民族独立的人们，亦必主张与国际作扩大的合作。我们今日要求独立，并非要求孤立，相反，我们却和别的国家一样愿意牺牲此独立之一部分，加入一种国际秩序。只有帝国主义的体系，才和我们愿意加入的这一种国际秩序相敌对。如果我们希望通过这种帝国主义的体系而达到国际的合作、世界和平的目标，那全是梦想。最近的发展，可证明帝国主义的体系，正以独霸的经济的帝国主义政策把自己由其他部分孤立起来。我们所看见的，不是一种国际主义之发展，而是相反的情形。这种原因，不难寻出，这是表示现存的经济体系之日趋衰颓。结果所届，它一方面和它所独占的区域作更大的合作；另一方面，也即是与此外其他部分的分离。我们印度早已成为英国工业的随从者，紧紧地跟着它走。和英国以外的国家，都断绝了关系。此种情形，除开目下所产生的坏结果不谈，将来的发展，亦必非国际的接触，而是自己的孤立。这种自治领的地位，于印度有何益处呢?

我们印度目下的问题，是：我们要一个新的国家吗? 或者，只想换一个新的行政形式? 自由党人的答案，十分明显，他们要的是后者，决不多一分一厘。自由党的人士，他们全不去考虑此外的问题。他们只希望行政上的变动，不希望新国家之出现。他们以为，要达此目的，必不可出以直接的方法，或者，出以其他别的任何进攻姿态。唯一的方法，是向英国政府表示我们有着能力和经验，态度亦复稳重，足以治理印度。他们以为，如果自己的行为好，工作好，英国政府必可让与权力。换句话说，就是以为英国之所以不赞成印度之获得自由，要么，是由于印度人所采取的进攻姿态所惹起的愤怒，要么，由于英国人对印度人的能力怀疑。或者，两个原因都有。这种对帝国主义政策之分析，是颇为荒谬的。

在每一个民主国家之内，关于彻底的经济方面的改革，究竟是否可以以一般的方法，通过宪法机构而予以解决，这样的争论，是时常发生的。有人认为可以，有的以为不行，必须另外采行非常的革命手段。这问题在我们印度，照我看来，我们根本没有由宪法的手段以达到吾人所期之目的的可能。在印度，除革命和非法手段而外，别无他路。在印度，今日之情形，尤为非常。英国政府对于任何足以危及其本身利益的活动，都予以禁止。那么，我们如何干呢？除非停止一切活动，不然就一定和政府冲突。然而，停止活动，却是我们绝不能采取的办法。

所以，撤回文明抵抗运动，自然是自由党人所欢迎的事。在我们国民大会实行不合作运动的时候，自由党人在旁边说风凉话。当政府以高压手段压迫我们的时候，他们说："我们不是说过了吗？谁叫你们一定要做下去呢？”这真是一种奇怪的论调。我们站立起来，从事一种斗争，接着，被对方打倒了；这时，别人向我们说：站立着便是一种不应该的事。在地上爬来爬去，最好，也最安全。在地上爬行之时，无人可以把你打倒，也不会由这地平面落将下了。

二八　印度之今昔

印度民族主义之痛恨异族统治，乃自然而不可免的事。然而，奇怪的是在十九世纪末叶的时候，我们很多的知识分子，自觉地或非自觉地都接受了英帝国的意识形态。他们在这种意识形态之上，建立他们的理论。对于它的批评，只及于外表方面的某些地方。在学校或大学中所用的历史和经济方面的教本，都是以英帝国的意识形态为基础而写成的。其中强调我们的弱点和英国的优点。我们在相当的程度上接受了这一种歪曲的理论，甚至于当我们本能地反对它的时候，同时就受了它的影响。最初，我们因为没有其他的理论和事实，我们无法逃出它的范围。因此，在失望之余，我们只好到宗教的民族思想中去找寻安慰。因为，我们想，至少，在宗教和哲学的领域以内，我们该不亚于其他民族了。我们在不幸与衰亡的命运中，以一种理论来安慰我们自己，是这理论：相信我们虽无欧洲那种外表上的光华灿烂的东西，在内部说，我们却有着一种东西，更为宝贵，更有价值。很多哲学家们对于我们古老哲学发生趣味，使我们恢复我们的自尊之心，使我们会以过去的历史作为自傲的材料。

后来我们渐渐地怀疑起英国人对我们的过去以及现在的各种说法了。然而，即使是这时，我们也还在英国的意识形态的圈子里思考和行动。如果有什么东西不好，我们说，这是“非英国的”。如果英国人在印度行为不正，我们说：这是他个人的问题，并非整个制度之罪。但是，英国统治的各种实际材料，终于渐渐使我们养成了民族主义的思想。很多作者如都德（Romesh Dutt）等人所著的书，更助长了这种民族主义思想之发展。

虽然一方面我们对英国的各种歪曲理论予以反击，然而，我们终于还在他们的意识形态的范围以内。这是二十世纪初印度民族主义思想的一般情形。就是自由党人及国民大会中的温和人士们的立场，现在也仍然如此。他们虽然时时因感情之冲动而前进着，基本上说，他们还停留在十九世纪之内。即以此故，自由党人便无法把握印度自由的真义。因为，二者之间，在基本上是不相调和的。他们以为他们可能一步一步地向上走。既存的政府机构仍可顺利地工作。而英国的军队，可以作他们自己的保护人。这就是在英帝国范围之内的自治领地位。国民大会，尤其是另外一些进步组织的看法，却不同。他们以为，英国军队之由印度完全撤退，乃印度自由的初步。

十九世纪，印度知识分子之向英国的意识形态屈服，并非不可理解之事。所可惊奇者，乃经过二十世纪的大骚动大变革以后，有一些人，竟仍沉醉在这种幻想之中一事。在十九世纪，英国乃全世界的主宰，有着财富，有着力量。他们以为他们是天之骄子，他们的帝国乃地上之天堂。如果他们这种特殊地位被承认，那就很好；如果有谁否认它，攻击它，这就等于违反天命。

如果说这是英国对世界其他部分的一般态度，则此种态度以在印度为尤甚。他们对印度人，有如主人之于仆人。所以，我们越能接受英国的理想目的，我们越适于有一个“自治”的政府。只要我们能够表示，保证我们能依照英国的意思而使用“自由”，则我们即可以获得“自由”。

我想，英国人和印度人，对于英国在印度的统治历史，其看法是彼此大不相同的。这也许是很自然而不足惊奇的事。但是，如果英国的高级官员，对印度的过去与现在，作种种毫无事实根据的妄谈，确是令人吃惊的。英国人，除了一些专家而外，对印度之不了解，可谓到荒谬绝伦的一步。英国把印度攫到手，据之为己有后，一切完事，他们从未了解印度，也从不曾设法去了解她。英国人的眼睛，看着别的地方，而印度的呢，则因受辱而下垂。因此之故，我们经几世的接触，彼此的面孔都很熟习了，然而，还是陌生之客，一个恨一个。

印度目下虽历尽沧桑，此时一弱至此，然而，她仍保留着她灵魂的尊严。并未堕落到不可救药的一步。印度已经走过了一条很长很长的旅途，在途中拾取了很多智慧。在这个旅程当中，她虽历尽艰险，饱受坎坷，然而，她终于未抛弃她的古老文化，她仍不断地由她的文化之中，吸取力量，而与其他的人共同享受。她时而上升，时而下降。既曾想高入天堂，以窥其秘密，也曾低及地狱。在她的可悲的迷信空气之中，她却从未失掉她的求真的智慧。犹如今日千百万印度人在祷告之时所念着的一般，她是日日在要求：“由不真之境地，导我于真之境地，由黑暗，导我于光明，由死，导我于生。”

虽然在政治上她时常给外力击破，而精神上却仍永远有着一种统一。她也好像其他的古老国家一样，有其好处亦有其坏处。但是，好处埋没着，坏处也尚待寻觅。每当衰亡之际，坏处乃得一一出现。在意大利与印度之间，有着很多相同之点，两者都是富有历史的文化传统的国家。不过，由历史之悠久说，意大利比起印度来，略为年青，而由国土的幅员说，则印度也较意大利为广大。除此而外，两者都曾在政治上给外力击破，而两者当此之时，其精神均未死亡，终能保持精神上的统一。不过，意大利的统一，是所谓“罗马的统一”。因为，罗马在意大利，是突出的大城市。因此，可成为统一之中心。而印度则缺乏这样的中心。印度的文化，遍于全国，因此，无一特殊地点可称为文化中心。自东至西，自南至北，观念大抵一致。如果某一个地方有着观念上的冲突，则其声音亦将传至辽远的各地。恰如意大利之把罗马文化传播于欧洲一般，印度也把印度文化传播于东方的亚洲。不过，亚洲的中国却也与印度一般老大，一般令人尊敬。梅特涅（Metternich）曾把意大利认为只是一个“地理上的名词”。很多未来的梅特涅也把印度如此看法。把英国比之于奥国，尤为有趣。二十世纪的英国，不是和十九世纪的奥国一般无二吗？一样地高傲，一样地厉害，然而，一样地在根本上渐渐动摇，日趋衰微。

今日的印度，变成了 Bharat Mata（印度母亲），是一位美丽的太太，年纪虽大而外貌十分年青。她现在被异族残酷地待遇着，乃大声呼唤，要她的儿女们前来救她。于是成千累万的印度男女，为情感所动，不辞任何牺牲，一致起而救之。印度今日正以其古老之文化与英帝国的文化斗奋。当然，印度的古老文化将敌不过英国的近代文化。因为，这种近代文化带来了科学，科学又替千万人民带来了食物。不过，它同时也带来了别的一点东西，即社会主义的理想，合作的理想以及为公共利益而服务的理想。

老的印度，变成了新的印度。新的印度，将披上新装，因为她的旧衣服已经破碎了。她的新装，将要是既适用于目下的环境，亦符合于她自己的古老思想。因此，她所采取的理想，当是她本国上的土产。

二九　英国统治印度之功过

英国统治印度的功绩如何？我想无论英国人也好，印度人也好，想就此问题作一客观而无感情作用的观察，怕都是不可能的。有人曾经告诉我们，说，“英国曾经把印度经历数世纪之努力而仍未得到的东西给予印度：一个权力遍及全部半岛的政府”；它曾建立了一个法治的，有效力的行政系统；它曾把欧洲的议院政治以及个人身体自由等等概念带给印度；并且“借印度之统一，使印度人中，产生一种政治统一的感觉”，而因此养育了民族主义思想之幼芽[1]。这些都是英国方面的说话。这之中，确有很多是事实，不过，我们对于所谓“法治”和“个人身体自由”之类的东西，已经久违

[1] 以上所引，均来自一九三四年的“印度宪法改革联合议院委员会报告书”（Report of The Joint Parlimentary Committee on Indian Constitutional Reform）。

多年罢了。

在印度人方面，则所强调的又是另外一些因素。当时指出异族统治替我们携来的物质方面与精神方面的创伤，彼此观点之不同，往往英国人引以居功的东西，恰是印度人痛骂的东西。像古姆拉斯瓦梅博士（Dr. Ananda Coomaraswamy）所写的："英国对印度的统治最最明显的特点之一，是：最给予印度人以创伤的东西，在外表上，都是很幸福的。"

事实上，过去一世纪以来在印度所发生的变化，其实是世界性的变化，东方西方一样地发生的。在西欧，后来在世界其他部分所产生的产业革命，带来了民族主义的思想，也带来了统一的民族国家的欲望。英国人首先打开印度的门户，使之与欧洲的产业革命发生关系，这一点诚可引以为功。然而，如此做了之后，英国却回头来阻止印度的产业，不许作更进一步的发展了。印度老早是两种文化的交会地，其一是西亚细亚的回教文化；其二是东方的自己的文化。现在，由西欧来了第三种文化。于是，印度成为各种新旧观念的战场了。不消说，西欧来的新文化战胜一切，因而也解决了印度的一些老问题。但是，协助印度，把它们带来的英国，却从此设法阻止这种文化之进一步的发展。他们阻止了我们经济方面的发展，因而阻止了我们在政治方面的发展。同时，却又保留了很多封建力量。所以，布尔乔亚之在印度产生，并非由于英人之好意与协助。不过，他们既然输入了铁路以及其他的工业产物以后，他们就无法使它们停止发展。他们只能妨碍它，使它迟缓一点而已。

“我们可以肯定地说，自东印度公司于一八五八年，把印度全部领土献奉英王以来，印度在教育方面及物质方面的进步，远较其若干年来之努力所获者为多”[1]。退一步说，就算这话说得不错，但是，这是以现在的产业时代与往昔互相比拟。因为有了产业革命和科学之故，差不多任何一国家都已经有了这种教育方面与物质方面的进步了。而且，都可说是“远较其若干年来之努力所获者为多”的。难道在产业时代之今日，没有英国的统治，我们便不能得到这种进步吗？而且，当我们把自己和别的国家互相比较后，我们还想，如果我们没有遇到英国的居心阻止，我们的进步不更快么？铁路，电报，

[1] 见上述1934年的“报告书”。

电话，无线电之类的东西，不能就算是英国统治的好意与慈悲。这些东西在我们是必要的，我们也欢迎它们，碰巧英国第一个把它们带来给我们，我们应该谢谢英国人。但是，即使这一点点功劳，其动机也不过是为了巩固他自己的统治，替英国货寻找市场而已。我对于工业化和最近发展的交通，是欢迎的，然而，每当我旅行时，横跨印度平原之际，我觉得这些东西好像铁链一样，紧紧地锁住印度。

英国统治印度的观念，是一种国家警察的监督观念。他们的财政，其用途在军队、警察、内部行政、放债利益等等，人民的经济要求并未予以考虑，并且要使我们为英国的投资利益而牺牲。人民的文化需要完全被忽视。在别国所有的工人疾病保险，公共卫生，社会教育之类的用途，政府完全不予考虑。

英国统治的特点，在于集中力量于那些足以增强其对印度的政治方面经济方面的统治的一切事务，其余的事体便一概不管。所以，即使他们果然建立了一个有效力的行政系统，其利益是他们的，印度人殊不必引以自庆，不必沾沾自喜。国家统一是好的，可是统一起来成为他人之奴隶，被他人所控制，似亦不甚可贺。英国在印度的优势，果然造成了印度的和平。我们确实也需要和平，尤其自蒙哥尔王朝以来，连年变乱，真的是希望着和平的。然而，我们所得到的和平，是坟墓里的、笼栏中的、监狱内的和平，是盗贼去后的园中的平静。外族征服者带来的和平，往往不是真物而是赝货。

英国人给我们以政治的统一，这是大可喜的一件好东西；不过，不管我们有没有这种统一，只要印度的民族主义思想一经发生，这种统一，我们自己会要求的。印度的统一，其实是英帝国发展进程中无意地产生的一种副产物。后来，当着这种统一和我们的民族主义思想连成一气的时候，他们却设法来破坏我们的统一了。

自从英国在印度称雄以来，于今已一世纪又四分之三的时候了。他们有着极大的自由足以把印度照着他自己的模型而改造。在这些年月里，世界已经大变。美洲经过奋斗之后，目下成了最富的独立国家了。苏联昨日还在沙皇手中，今日已成为自由的土地，在我们的眼前建立起新的世界来了。在印度呢，也有着大的变动，印度确实与十八世纪时大不相同了——铁路，工厂，大学以及庞大的政府……等等。然而，虽然有着很大的变动，而印度实况究竟如何呢？她是一块不能自由呼吸的土地，她的统治者是由很远很远的地方前来的陌生人；她的人民困穷无比：短命，无力抵抗疾病，文盲到处都是；各地均缺乏卫生设备与医药设备；失业之人，所在皆有。我们在他国国内听到有救济失业的计划，我们千百万的失业之人到何处去好呢？我们也听到别国有居住计划，我们千百万无家可归的人们，到那儿去好呢？别的国家有教育，有卫生设备，有医药救济，有文化，而生产事业大步地迈进，我们能不羡慕吗？苏联以十余年的努力，差不多完全铲除了文盲，建立了一个合时代的教育制度了。落后的土耳其，在凯末耳的领导之下，也得到惊人的进步了。

人们常时责备我们，说，印度人说得太多，做得太少。英国人呢，不少的委员会，做了不少的报告，结果摆在办公桌上完事，然而，印度却依然故我。他们的努力，倒是大可佩服的。别的国家讨论如何上前迈进，在印度所讨论的，是如何制止前进，不然，我们便走得太快了。

当然，把印度的一切罪过都抛在英人身上，这是完全不对的。这种责任应该放在我们的肩上，我们也不能规避它，不能把由自己的缺点所产生的结果，归罪于他人。

人们告诉我们说，英国人如果离开印度，则印度马上陷于混乱。我想，这种说法，不无真理。如果各机关的英籍长官忽然之间把他们的职责放弃，而交与他的下属，则该机关的效能一定马上便下降。但，其所以如此者，乃由于整个制度之构成，本来如此，下属多半并非具有能力之人。而且，他们从来不曾有权肩上责任。我相信，印度实在有大好的人才存在，只要存心招揽，则在短时期内，亦可网罗而来。不过，如果这样，那就是说，我们的政府及社会，都要有一种完全的革新。这就是一个新国家出现了。

然而，事实上呢，不管我们将在宪法上作若何之改革，而老的行政大框子却永不去掉。在英帝国的这些机构之中，最最突出，最最重要的，是文官部，英国在印度的政权的功过，差不多都可以归之于它。它在政府的权力，差不多是绝对的，只在理论上向英国国会负责。他们中的成员，都是无法应付印度所发生的变动的。他们完全不能了解印度的现实。大战以后，全世界的变动，尤其在经济方面的变动，在他们看来是无足轻重的。他们没有发觉他们自己所代表的秩序，是一种业已过时的东西，不适于现代环境。

然而，这一个秩序却仍旧继续下去，只要英帝国主义存在一日，它必将存在一日，而且，它现在还有相当的力量，保持它这种存在。现在，英国在印度的政府，好像一个虫牙，已经被虫所蚀，渐渐溃烂了。但是，它却强有力地依附在牙床之上，不易脱落。有着这个虫牙，十分痛苦，然而，要把它拔掉，却不容易。如果这个虫牙不拔，或者，它不会自溃以至于完全消失，则此种痛苦，势将继续下去。

印度的人口，虽然在大灾荒之下，在最高的死亡率之下，仍然不断地增加。对于此种人口之增殖，人们是提倡着生育的节制。关于生育节制的知识与方法的传播，我是很赞成的。但是，使用这种方法，本身便需要一个更高的群众生活标准。在目下的印度环境之下，生育节制是完全不可能的。再则，今日遍布于全世界的问题，其实不是缺乏食物或缺乏其他生活必需品的问题，而是缺乏此种食物的购买力的问题。甚至以印度而论，食物也是增长着，而且还继续地增长着的。以人口之需要为比例，只会多而不会不够的。

无论什么时候，只要印度一经获得自由，她便需要无数的印度儿女为她服务。好的人才，往往是不易得到的。尤其在我们印度，因为在英国的统治之下，缺乏发展机会，尤为难于发见。将来我们必然在很多部门上，尤其是需要技术的部门上，需要外国专家的协助。这之中，很多目下在文官部为英帝国服务的人们，亦将受到吾人之欢迎，此乃当然之事。不过，有一点我却敢事先断定，我们的新秩序，如果仍然有着目下的文官部的那种精神和观念存在，则此种秩序即无法建立。这种精神，或将粉碎吾人之自由，或将为吾人所粉碎，其唯一能存在的环境，惟有法西斯蒂式的政体。

至于讲到印度政府中的国防部（Defense Services），我们几乎无话可说，无法批评。因为，关于它，我们知道什么呢？什么也无从知道。我们只能日日纳税，别的无法问及。一九三四年的时候，印度军总司令菲立仆爵士（Sir Philip Chetwode）曾经在演说中对我们说过了，我们应该管自己的事去，不要去干涉他的工作。

我们曾经听说过，英国正在准备推进军队之“印度化”的工作，又说，大约三十年或更多数年之后，一支有力的“印度化”的军队，必将出现。也许，不上一百年，这个“印度化”，会有相当可观的成绩罢。不过，讲到此地，容易使我们想起，为什么当危机之时，英国便能够在一二年之内组织数百万的有力队伍呢？也容易使我们想起，苏联的军队，差不多是无中生有，他们毫无基础，并且在列强的包围之下，建立了现代在全世界号称强大的一支陆军。

英国在印度的统治，其功绩为何如呢？一言以蔽之，对于英国人，第一个使我们接近科学以及科学所产生的一切文明，这，我们应该感谢他们。但是，在另一方面，有一事实，我们也不可忘记，即英国在印度，同时也努力地鼓励着蒙昧主义的，反动的，宗派主义的，以及机会主义的各种因素之生长。不过，这对于我们，也许是必要的罢。在印度新生之前，她必须受到各种各样的试验，她要走过一道大火，这大火将扫清、改变和焚毁一切弱点、污秽和腐败。

三〇　克吕惜娜的革命婚礼

一九三三年九月中，在浦那和孟买勾留了大约一星期之后，我回到勒克瑙去。这时，我的母亲仍在勒克瑙的医院中。不过，身体却渐渐地复原了。茄梦娜自己的身体虽然还不十分好，却也到勒克瑙来，想侍候母亲。我的两位妹妹，也常由阿拉哈巴德来看母亲的病。

在勒克瑙勾留了二三星期，在这时期内，我每天到医院去二次，其余很多剩下的时间，都用来替各报章杂志写文章。我的文章在很多地方发表。在这些文章之中，有很多篇是连贯一气的短文，总题目为“印度到那儿去？”最引人注意。我在这些短文之中，检讨那些和我们印度有关的国际局势。这些文章，后来在德赫兰（Teheran）和喀布尔（Kabul）都被译成波斯文发表过。这些文章的内容，在时常和国际局势接触的人们看来，本非新奇。但是，当年的印度人士，因为年来都埋头于自己国内的事体，不管国外变得如何，这些文章，对于他们，确实发生了很大的作用，使他们的眼界因此广大一点。

后来，母亲已疲倦于医院生活，我们便决定把她送回阿拉哈巴德去。除此而外，还有一个原因，即妹妹克吕惜娜，既早已订婚，家庭都希望能够赶快结婚。因此，便回到阿拉哈巴德去筹备。再者，当时的不合作运动，仍是国民大会纲领之一。而国民大会此时又还是非法团体，则我之被捕入狱，其可能性甚大。因此之故，我也希望能在入狱之前，得参加妹妹的婚礼。

结婚典礼，定于十月在阿拉哈巴德举行。这一次的婚礼，事体虽小，却有三方面的革命。第一，克吕惜娜是和一位非婆罗门教徒结婚，打破了我们喀什米尔婆罗门不与外族结缡的自封俗习。这种不同身份（Caste）的结婚，在当时的印度法律之下，不得出以宗教仪式。幸好，当时正有一种文明结婚法（Civil Marriage Act）刚刚颁布。我们便遵照文明结婚法举行典礼。第二，我们的家庭，本来就很富裕，在印度，对于婚礼的铺张，又可说是极其能事。在这种素主以奢侈方式举行结婚典礼的环境当中，我们却主张免除一切铺张。当时的主要理由，是认为不合作运动仍在进行之中，大批同志仍被困于内，当此之时而来对结婚典礼大事铺张，未免不对。第三，请客帖子，在我的坚持之下，系以印度土话拉丁化的形式书发。此举连甘地咭也大不赞成。不过，当时我之主张使用这种形式，也并不一定是因为我已经十分相信这一种改革，然而，“拉丁化”之引起我的注意，却已很久。它在土耳其和中亚细亚的成功，给我以很深的印象。而当时各地主张“拉丁化”的理论，亦甚堪重视。我想身毒斯坦尼话[1]也可以由这方面形成一个新的大众文章形式，使大众教育，易于收效。即使如此，我当年仍然尚未完全相信它，即使我完全相信，我也知道它无法于今日之印度实现。各种集团，各种组织，民族主义的，宗教的，印度教的，回教的，总之，一切新老势力，势必强烈地予以攻击反对。同时，我也想，这种反对，也并非完全出自感情。对于任何一种有着丰富历史的语文，字体之改变，是十分重要的一件事。因为，字体差

[1] 即印度最通行的土话。

不多成为一种语文的文学之一部分了。

身毒斯坦尼话之行将成为印度的一种共同语言，我一点也不怀疑。真的，目下的身毒斯坦尼话，在日常应用上，已经十分广泛了。不过，它的进步，实在因为有很多人对于字体方面的改革作盲目而愚笨的反对，因而大受阻碍。

有些人认为英文可能成为印度的一般语文，在我看来，这似乎是一种怪诞的想法。我以为，英文只能在少数上层知识分子之间流行，无法遍于大众，它与大众之教育和大众之文化无缘。英文，可能在技术的，科学的以及商业交通的领域内起相当大的作用，因此之故，我们印度人，应该设法学习此种有用之语言。但是，决不可把它认为是唯一应学的东西。此外如法文，德文，俄文，西班牙文以及意大利文等等，也都需要学习的。如果特别强调英文乃印度人所必修，这又是英国式的意识形态之应用。我们常以英国式的意识形态为基础而观察一切，所受的害处，实已不少。此后决不可再蹈覆辙。而印度话拉丁化如果在我们的革命发展上有推动的作用，我们是不应该反对而应该提倡的。

正在克吕惜娜的婚礼举行前后，配特尔（Vallabhbhai J.Patel）在欧洲病死的消息传来。配特尔本是因为病重之故，才由政府特许释放出狱，到欧洲去医治的。他的死信，使我甚为伤心。因为，他是我们的一位老战士。死后，大家争颂他生前的功劳，但是，大家所强调的，差不多都是说他充任议院主席的成功，说他是一位很好的议院政治家。这种颂扬，是一点也不错的；不过，单单重复地述说着这一点，却颇使我觉得不快。这样的议院政治家，我们印度有的是，不是吗？配特尔之伟大，还略多于此。他之所以伟大，是因为他参加印度的实际革命斗争，争取印度之自由。他曾是我们印度的一位不可征服的革命战士。而追悼他的人们，却单单忘记了他的这一方面。

十一月里，我到贝拿勒斯城（Benares）去，被那儿的印度大学，请去演讲。当时开会的主席，为大学副监督马拉维亚先生。我在讲演之时，抨击印度大乘会（Hindu Mahasabha）的分区自治的活动，抨击印度教的分区自治主义者的反动行为。马拉维亚咭，是大乘会的主要人物之一，我竟在他所主持的大会上抨击大乘会，似乎是很不近人情的。不过，我当时并未想到这一点，因为，我当时以为马拉维亚咭，在事实上，那时已经和大乘会无甚关系的了。

这一次讲演，引起了很大的风波。大乘会的领袖们，都一致向我攻击。不过，他们所攻击的处所，大都偏于私人方面的事体，并无中肯之论。我本来不想卷入一种无意义的辩论之中，但也想趁此机会说明分区自治派的真相。于是，写了一篇很客观的文章，指出印度教和回教中的分区自治主义者们，其实并非真正在主张分区自治，他们不过使用这种假面具，掩盖他们在政治上和社会上的反动而已。我当时主要是指出分区自治派的领袖们，和印度以及英国的很多反动分子，联合一致，阻止印度的政治的和社会的进步。他们的一切要求，完全与群众无关。

这篇文章，在印度民众当中，发生了很大的作用。我本计划再继续对这个反动活动，作理论上的攻击，使其真面目呈现于大众之前。可是，后来不久，又被捕入狱，无法从事此项斗争，只好终止了。

三一　分区自治主义者的真面目

自从一八五七年的大暴动以来，英国关于运用分区自治这一问题的政策，由基本上说，是在于竭力阻止印度教与回教之一致行动，更从而驱使他们，使其互相斗争。自一八五七年以后，英国的铁手，是多倾向于放在回教徒的头上的。他们认为回教徒有勇好兵，对于英国统治又常表示不满，对于英国式的教育，回教徒又往往敬而远之，在英国政府机构里面做事的人也很少。似此情形，是十分不可靠的。

后来，民族主义的思想，渐渐在能说英语的上层阶级的知识分子群中发生了。这种思想，自然只在印度教徒的范围以内发生，因为回教徒在文化上是较为落后的。英国在这个时候，便多方设法，务使回教徒远离民族主义的思想。许德·阿马德·汗爵士（Sir Syed

Ahmad Khan）在这一企图上，大大地帮忙了英国政府。在和他同时代的人们之中，英国政府最器重的是他，他也最赞成英国政府。一八六九年到欧洲去游历时，他写信回家说："一切在人类身上能发见的好东西，是上帝特别赋予欧洲人尤其是英国人的。"他深信，如果没有西方的教育，回教徒社会，会还要退后，还要无力的。受英国的教育，也就等于得到职位，安全，势力，光荣。他竭力使他的回教徒全体，都跟着他作如是想。在印度教徒的布尔乔亚中所产生的民族主义思想，当然和他的想法背道而驰，他便决心反对这种思想。这一来，英国政府对他当然是欢迎之不暇了。

不过，许德爵士竭力把英国教育介绍给回教社会，其结果不无好处。如果没有这种影响，在后来形成印度的新型的民族主义思想之时，也许回教徒仍不能参与。他们也许会永远在政治上赶不上印度教徒的。许德爵士的阿里加尔学院（Aligarh Colledge），在回教徒中，确也造就了很多人才。这个学院充满了封建思想，毕业学生，大都专心致志于能为英国服务；但是，同时，它也把一般的学问基础，介绍给回教徒的青年们了。

到二十世纪之初，英国政府竭力扩大回教徒与民族主义之思想中间的鸿沟时，印度的回教徒，还未能完全脱离许德爵士所给他们的不良影响。一直到一九一五年之时，回教徒的知识分子，才终于打碎了各种镣铐，与国民大会一致行动。十年之内，回教徒甚至超越了印度教徒而实际地领导国民大会的民族运动。

然而，回教徒之走向民族主义，确是不容易的。阿加可汗（Aga Khan）之成为他们的领袖，就足以证明他们仍在封建思想的范围以内打转。阿加可汗本人，并非布尔乔亚。他是一位富有的王公，和英国的统治阶级，有着很密切的关系。回教徒的布尔乔亚不满于既存社会而走向民族主义之时，阿加可汗便对英国政府作建议。他在 九 四年写的 篇文章里，说：英国政府应该放弃使回印分裂的政策，应该把双方的温和分子集中一块儿，造成一个有力壁垒，用之以阻止青年印度的过激的民族主义的倾向。

但是，可惜阿加可汗也好，英国政府也好，总无法阻止回教徒的布尔乔亚之走上民族主义之路。欧洲大战，更加速了这一过程。别的领袖产生以后，阿加可汗也就等于退隐了。甘地咭把回教徒吸引入不合作运动之中。终于在一九一九年到一九二三年之间，他们发生了对这一运动的领导作用。

可是反动分子终于又来了。在印度教徒中和回教徒中，都有主张分区自治的落后分子跑出来了，他们代表着很少数的上层反动分子，利用着大众对宗教方面的热忱，以达其政治上的反动目标。他们不断地提倡一种莫明其妙的理论。特别强调在印度的“回教民族国家”，强调“回教文化”，强调印度教与回教之间的“文化”的不可调和性。结论呢？他们说：因此之故，英国的统治，必须永远存在于印度，俾得调和双方文化的冲突。我们印度教方面的分区自治主义者，在各方面的表现，除了很小的不同而外，其主张大抵亦与此相同。

这些“理论”，在我看来，都是可笑的胡说。所谓“回教民族国家”者，由政治方面言之，颇觉其模糊不清，泛而无当；由经济方面言之，更觉其荒唐无聊，差不多不值得予以考量。如果说有“回教民族国家”之存在，那么，世界上实无民族之存在，无国家之存在，只剩下各个宗教信仰不同的集团罢了。其实，在最后的分析上，这一个“回教民族国家”，不过是他们的一种自觉的或非自觉的希望而已。在事实上是不会存在的。

什么是“回教文化”呢？难道就是从前阿刺伯人，波斯人以及土耳其人在历史上的伟大事业么？要不然，是回教徒的文字语言吗？音乐吗？风俗习惯吗？这一切都是空虚的。我们从来没有听到谁援引到现代的“回教音乐”，或者，“回教艺术”之类的东西。影响印度回教的语言文字的本有两种，其一为波斯文，另一是阿刺伯文。尤其是波斯文，影响最大。但是，波斯文的影响，毫无宗教意味存乎其间。波斯文和波斯风俗之传入印度，经过几千年之久，而且，遍布于全印度各地。从前的波斯，是“东方的法兰西”，它把自己的文化送到任何一个与它邻近的国家里去。所以，波斯文化是印度全国所共同受到的影响。很多印度教徒和回教徒，同样地接受到波斯的语言及风俗习惯的影响。而回教徒的农民和产业工人，实在和印度教徒的一模一样，毫无区别。

所以，分区自治派的目的，完全和他们所宣传着的东西两样。明眼人一看便知。然而，他们竟能够利用群众对宗教的盲目信仰，大肆猖獗。而英国政府当然最高兴这种猖獗，便仔细地利用他们，以达其离间印回俾得永远奴隶印度之希望。

*　　　*　　　*

在一九三三年年终的这些时间，我行将被捕入狱的消息，又传得很响了。我自己也想到，这可能性非常之大。自己时常戒备。很多地方请我去旅行，可能之时，我都予以谢绝。我并不怕坐牢，也知道我之坐牢为不可避免之事，但是，仍想尽可能地避免它。有时因了别的目的而出外，如前往拜访甘地咭或别的同事等，也仍然不免要遇到群众大会，不免要对他们讲演。在这种场合，讲演之时，我却也仍尽量说话，毫不顾忌。在加步坡尔（Jabbulpore），在德里，我都会参加群众大会。尤其在德里参加大会后，我行将被捕的消息，尤为盛传。然而，我却终于安然回到阿拉哈巴德（途中又曾在阿里加尔停步，到回教的大学去向学生讲演）。

这几个月内，国民大会的常务委员会曾二度集会考虑全国局势。这时，国民大会已属非法团体，然而，我也不管这些，仍以大会之秘书名义自称。

这时，甘地咭身体的健康恢复，又忙于他的哈里人运动去了。他正作一次长途旅行，周游印度。到德里时，我们国民大会的同志们把他包围住，请他决定问题。这时的问题，是究竟应否继续不合作运动。有的朋友主张继续，有的则以为不妨暂时撤回。因为最后的决定，总须依靠甘地咕，我们便在德里拦住他。他说："继续下去！"于是，不合作运动此时虽然已经不十分起劲了，然而，仍然继续下去。

同时，我也仍继续写我的文章，不断地寄到各报纸上去。我执笔为文之时，因为目的在于发表，对于一切意见，大凡在人们看来过于激烈的，我已先打些折扣来写，各报纸杂志，对我也很好，然而，文章仍往往被检查员删了一部分去，或者，甚至整篇不许刊载。我这些时候的文章，主要是宣传社会主义的理论，反对之人甚不少。我自己以为自己所宣传的东西，既然是正确的，便不管他人之批评如何，总要继续下去。如果国民大会也反对我，我愿意辞掉国民大会的职务。不过，这时的国民大会，既属非法团体，而实际上又不工作，也无所谓辞职不辞职的问题了。不过，我总渐渐地感觉到本身和国民大会之间，有着距离了。这种感觉越来越明显。

在十二月的时候，达于极点。这时，甘地咭由马德拉斯寄了一些由报纸上剪下来的文章给我。文章是记述一位访问者和甘地咭的问答内容。谈话中间，访问者向甘地咭问及我，甘地咭向他替我的活动辩护。甘地咭谈话的立场和态度，很多地方和我完全相反。尤其使我感到头痛的，是看到甘地咭竟主张采邑制度之继续存在。我看完这篇文章以后，心中极为苦恼。想起自己和甘地咭的意见，其出入如此之大，以后如何能够一道工作呢？我对于自己是否必须仍留国民大会常务委员会中的问题，也开始予以考虑了。不过，考虑虽考虑，仍无一定决定。并且，此后不久也就被捕入狱，这种麻烦问题也就不存在了。

在这些时间内，母亲的病渐有进步。不过，仍然睡在床上。我曾经关心到家中的经济问题来，自父亲死后，家中生活的豪侈程度，业已大减。但是，好些地方为了母亲之故，不能不力加维持。对于我的女儿的教育费，我觉得也不该略受影响。这时，我自己别无收入，不过，我却相信我有着一种随时可能找到金钱的能力。因此，家庭中的经济，也并未使我十分感到麻烦。我们家里是拥有着相当多的财产的。财产对于一个人是有用的。不过，如果他是时常旅行的人，则用具之类对于他便成了累赘。一方面想减少这种累赘，一方面也可借以开支家用。我便想把东西卖掉一点。结果，把茄梦娜的很多金银首饰都卖掉了。这些东西，她本想留下来，传给我们的女儿去的。

看看一九三四年元月又到来了。国民大会的工作人员，在阿拉哈巴德又到处被捕。元月二十六日，是“独立节”的纪念日，当然不能让它无声地过去。但是，这时又无领导机构，我和很多同事们商量，应该如何纪念。一致的意见，都认为必须做一点什么事体才好。但是究竟做些什么事，却都没有定见。当时的情形，我们无论谁人，都想设法避免足致被捕的行动。结果，由我下了一个通告，请各地方分别举行纪念。具体的纪念办法，由各地方自行决定。在我们阿拉哈巴德，则决定召集一次相当扩大的纪念大会。

我料想“独立节”这一天，各地一定又要大肆逮捕。我自己之被捕，想是意中之事。因此，想在入狱之前到孟加拉去一次。一半是为了去会会几位在那儿的同事，一半想借此行向孟加拉人民表示一点敬意。因为在过去这几年以内，他们遭受了很多非常的不幸。除了这些理由而外，我也想在入狱之前，和茄梦娜一块儿到加尔各答去，问问医生，把她医病的事体计划一下。

于是，我决定和茄梦娜于元月十五日起程到加尔各答去。并决定在“独立节”到来之前，赶回阿拉哈巴德，以便参加纪念大会。

元月十五日下午，印度各地地震。我们在地震声中到加尔各答。在加尔各答勾留了三天半。在这短短的三天半时间里，我曾向三个群众集会讲演过。演词内容，是批评恐怖主义手段之不当，同时，也抨击孟加拉政府对此项事件所采取之严酷对付办法。

离开加尔各答后，我们又到参丁尼克坦去拜访泰戈尔先生。我到此地来拜访他，已是第三次。茄梦娜还是第一次来，她心里十分兴奋。会了泰戈尔先生后，回家途中，我们又到巴特拉（Patna）去拜访巴布（Rajendra Babu），和他商讨此次地震的救济事宜。巴布一向是做着非官方的救济工作的，最近刚刚由狱中释放出来。

第二日，我到马查法尔普尔（Mazaffarpur）去。这一天，已是地震发生后第七日了。除了几条大街而外，其余的地方，连瓦砾也尚未除掉，死尸遍地都是，情形惨不忍睹。

回到阿拉哈巴德的时候，赈款已聚积了相当的数目。无论国民大会人士或非会人士，大家都很热心地做这一项工作。有的工作同志，认为因了这次地震，“独立节”的纪念，可以取消。但是，我和另外的一些同志，都觉得不应如此。结果，阿拉哈巴德的大会，仍照原定计划举行。结果出乎意料之外的良好。

由贝哈尔回来后，我发表对于此次地震的意见。对政府之侵吞公款，办事不力，只顾保护自己的财产而将人民尸首弃之于不顾，大加批评。这种批评，引起了贝哈尔政府方面的痛恨，英国在印度的政治机构，是不容批评的。他们所做的一切，都不会错误。如果对他们批评，便是损丧了他们的尊严和威信。尤其当指责他们贪污无能，更其令他们痛心疾首。

阿拉哈巴德地震救济委员会，派我到此次地震影响所及的各区域去调查其受害情形，以及该地所采行的补救办法。我一个人前去，走了很多地方。经十日之久，每天由早晨五点钟起一直到午夜才得休息。十日以后，我回到家里时，家人一见我那种疲倦的神情，有如患了大病，大为吃惊。那天回到家里，我本想马上写报告给赈济委员会去。但是，终于抵不过过度的疲倦，倒床睡去了，一直睡了足足十二个钟头。

在这次地震调查途中，我得读到甘地咭对于这次地震的解释，非常使我不满。甘地咭把这种科学已经解释得清清楚楚的现象，认为是神对于不替贱民想救济方法之人的处罚。

回家后第二天下午，我刚刚和茄梦娜吃过茶点，站在凉台上休息，忽然一架汽车在我们的门口停止了。一位警察官由车上跳下，向我走来。我一看，马上明了这是什么一桩事体。我自己上前向警察官打招呼道："Bahut dinon Se apka intazar tha！"（我候君已久矣！）警察官很抱歉地说："这实在怪不了我们当警察的！"

这次的逮捕状，是由加尔各答发出的。于是，在五个月又十三天的狱外生活之后，我又回到狱中去了。

三二　印度的“民主政体”

被捕以后，给送到加尔各答去。我已经经过了好几次的受审坐牢的生活了。这一次却稍稍不同，这是我第一次在孟加拉省入狱。从前的入狱，每次都会碰到熟习的面孔，这一次到处看到的，都是陌生人，因此备感寂寞。罪名是因为我在加尔各答的三次讲演，触犯了政府。到加尔各答后第二天（二月十六日），审问完结，被判处以二年之徒刑。

到加尔各答后，最初给关在孟加拉管区监狱（Presidency Jail）内，其后转送到阿里坡尔中央监狱（Alipore Central Jail）去。这次被捕，我自己知道是必然的。因为心理上早有准备，故能泰然处之。入狱以后，自己慢慢地回想起在狱外的这五个半月的生活，觉得十分满意。在这一段时间之中，差不多一切我要做的事体都已经做过了。拜访甘地咭，看母亲的病，计划女儿的教育……一切都弄得很好了。然而，也仍有两桩小事，耿耿于怀。第一是关于茄梦娜的病，医治计划，终于尚未定妥；第二，我的工作同志们，因为我的提倡，大家都到阿拉哈巴德的农村中工作去了，而我自己却未能跟他们一块儿到农村中去。

在阿里坡尔的监狱中，我感到很多地方不满意；因为卫生条件不好，身体也受了相当的影响。但是，最最使我不满意的，是狱中竟无报章杂志好看。到孟加拉后，尚未定罪之时，还看到一些报纸。一经定罪，送入阿里坡尔狱中，便与它们绝缘。自一九三二年以来，联合省方面的监狱，对于甲级囚犯，每天都准许看报。不过，报纸须经政府审查过。因此，我以为别的地方也一定如此，而不知孟加拉的情形，却大不相同。后来幸蒙准许赐阅《曼彻斯特卫报》(Manchester Guardian)，便日日埋头于该报，由其中得知国际局势的发展情形。

正当我入狱的这些时候，欧洲有着很大的变化。法国的纷扰，结果是法西斯蒂的暴动及“国民”政府之成立。情形最糟糕的，莫如奥国的政变。陶尔斐斯

（Chancellar Dollfuss）之屠杀工人，社会民主政治的大厦，于焉崩溃。奥国的政变消息，最使我丧气。这时，整个的欧洲和美洲，法西斯的运动都在发展着。当希特拉在德国登台之初，我深信希氏之政权，一定为时不久。法西斯纳粹之徒越上前一步，我越以为他更走向死亡一步。而不料希特拉倒越来越厉害了，心中不免略略感到迷惑起来。

我正读着的唯一的刊物《曼彻斯特卫报》，对于奥国的局势，以十分激烈的态度予以批评。说，这时的奥国民主政治被毁灭了，十分可惜。不过，为了它的永久的光荣，它将继续战斗，将造出奇迹，重使欧洲自由的精神，再度恢复。说，现在的欧洲，由莱茵河到乌拉尔河，成了一个大监狱了。总之，英国人对于欧洲的民主政治，似乎十分努力拥护。我读了以后，心中的第一个反应，是："但是，我们的印度又如何呢？"印度有什么民主政治之存在呢？英国是自称为民主的，自称是拥护世界的民主政治的。但是，在这个拥护民主政治的民主国家的英国所统治下的我们印度，却连民主的影子也看不到。

英国民族，是一种富于偏见的岛国民族。由于他们过去的成功以及现在的繁荣，使他们对于世界其他部分的民族，十分看不上眼。英国统治阶级对全世界民族的划分等第，是这样的：（一）大不列颠——（一个长长的破折号之后是），（二）不列颠自治领（非白种人不在其内）和美洲（只限于盎格鲁撒克逊人种，其余不在内），此下，是（三）西欧，（四）欧洲其他部分，（五）南美（拉丁种），最后，（又是一个长长的破折号）——（六）亚洲和非洲等地的棕种，黄种以及黑种。

这样一看，我们印度人是在最末一个阶层，离开我们主人的英国多远啊！所以，英国人士所谈论的一切，都与吾人无关，印度是“不得与焉”的。他们常时谈到的所谓“自由”哪，“民主政治”哪，诸如此类的好听名词，都不是为印度而存在。英国自由党的大政治家约翰·莫莱（John Morley）不是说过了吗？他说：他不能想像印度竟可能存在一种民主政治的宪法，即使是辽远的将来，也不可能。真的，民主政治，好像加拿大的厚毛外套，我们印度的气候，不适宜于使用这种东西。所以，当自由党在英国胜利的时候，对于印度的态度，是马上恢复一九二四年的孟加拉法律。在该党第二次组织政府的那时候，其情形更为恶劣。

在称呼的时候，英国人装腔作势地称我们为“亲爱的弟兄们”，事实上，待遇我们之时，却须应用另一个不同的标准。然而，自由党的报纸，对于奥国的民主政治之死亡，却如丧考妣一般地哀伤呢！

勒吞（Lord lytton）是从前印度的一位省长，后来也曾一度任过印度总督。大家都把他看为自由党中对印度最抱同情的人。在一九三四年十二月十七日的英国上议院演说时，他说：“印度政府，比起国民大会的政治家们来，政府是更能够代表印度全体人民的。它可以代表官厅，军队，警察，土藩王公，以及印度教和回教双方说话。可是，国民大会的政治家们，在这些集团当中，却一个也不能代表。”他还继续地发挥得更清楚：“当我谈及所谓‘印度人’的意见时，心中所想到者，乃和我合作而我也仰仗他们的合作之人。他们的合作，未来的省长们和总督们，都必须仰仗的。”

由他这话当中，可以抽出两点最中心最精彩的东西：第一，印度人，除了那些协助不列颠政府的一部分而外，一律均不足道，不必“想到”；第二，印度政府，是最能代表印度人民的，因此，也就是国内最最民主的政体。这种事实，可以使人想起很多英国字眼，只要一越过苏彝士运河，到达印度的时候，其含意就会变得与原来的不同了。如果照这种理论推去，则必然的演绎，一定是这样：因为国王最能够代表一切之人，因此，专制君主“朕即国家”的政体，也就是最民主的组织了。

在英人的眼中，所谓民主政治者，如果应用在东方的国家里，那真的意思，应该是：实行统治者的帝国主义的一切命令，不害及其投资利益。如果与此相符合，则“民主政治”是可以自由地发展下去的。

三三　甘地咭的思想基础

一九三四年四月到来了。我在狱中不断地听到由外面传来的各种消息。最使人痛心的，是监狱署长告诉我说：甘地咭业已停止文明抵抗运动了。我听了之后，大感不快。但是，经过了一番理智的检讨以后，我知道这个结果，是必会到来的。甘地咭之必在此时作如此之决定，是一种不可避免之趋势。

过后不数日，我由杂志上看见甘地咭关于撤消文明抵抗的申明书。我反复读了几次，一方面惊奇，一方面伤心。心中关于文明抵抗之类的概念不在了，代替它们的，是怀疑和内心的冲突。甘地咭的申明书内容，把文明抵抗撤消的理由，归之于个人的行动。他说，他之所以发表这篇停止文明抵抗的申明书，其动机系由于和他那“沙他格拉哈精舍”（Satyagraha Ashrama）中的一位同居同志的谈话所引起。他的一位老同居，不愿意做指定的工作，不肯完成全部的监狱工作而自己自由地选择自己愿意做的事体，此种行为，无疑地是违犯了“沙他格拉哈”的条规，未能尽文明抵抗的责任。

我又再一次领教到甘地咭这一类莫名其妙的理论了。个人的缺点或错误，本是小事，无关大体。即使退一步说，承认这种错误是很重大的，但是，一个直接与数万工作者有关而间接广罗数万万人民的伟大斗争，怎好因一二人之细故而停止？甘地咭这种理由，分明是不对的。我对于甘地咭的所谓“沙他格拉哈”，一向是赞成它的道义方面的精神。我认为它的这一方面，可以使政治活动走上一个更高更尊贵的水准。但是，如果它的实行方法害及我的基本信念，我是不赞成的。甘地咭有很多行动，都是出于本能的冲动，下意识地做下了一些事体以后，再来援引一些事后想出来的理由去解释。当然，甘地咭以这样的态度面临印度的重大问题，以一个民族运动的领袖而论，殊不适宜。他的所谓“沙他格拉哈精舍”中的同事们，对于他那种宗教的道德的主义，深信以后，曾宣誓服从，甘地咭当然有权以任何样的方式左右他们。可是，国民大会人士，却未曾作过此种宣誓，我也没有作过此种宣誓。为什么我们要让甘地咭把我们摆来摆去呢？他怎样能够以这种神秘的理由，要我们纯以政治的观点从事印度的革命活动的人们，去受它拘束，听它左右呢？

甘地咭的申明书，其全部内容，在我看来，一无是处。他在申明书内告国民大会同人的一部分，主要意思是叫我们“认清苦行与安贫的生活之美”，要“尽力作建国之活动，借手纺手织的方法，推广土布运动。大家互相之间，应以个人之接触，促成精神上的联合一致”，在个人生活方面，“尤应竭全力以戒忌烟酒，远避其引诱”。同时，要我们“多与嗜好烟酒之徒，作个别之接触，从而感化他们，务使全国成一良好风气，培养个性的洁白”。

是这么一套毫无意思的话。我读过了之后，大为不悦。深深地感觉到甘地咭和我之间，距离过大。这样一套话，怎好拿来充当一位民族革命运动的领袖对其信徒的指示呢？我觉得，很多年以来，使我对他信仰之一根细绳，今日是完全折断了。我不能继续这样地信仰他了。

在我的内心之中，对于甘地咭，早有一种激烈的斗争存在着。关于甘地咭所做的很多事，我都无法了解。他提倡文明抵抗的斗争，可是，当信徒们正热烈地从事斗争的时候，他自己却掉换方向，做别的活动去了（如前次之专心于哈里人运动，并因而绝食）。在狱中，则常时绝食，出狱以后，又屡萌退志，想退出政治活动。凡此种种，我都不赞成。当此次入狱之前的几个月内，我已经察觉出甘地咭这种行为之不正确，心中早表不满。甘地咭和我之间，不同之处过大。他曾说过：我们二人之间的不同，乃是气质上的不同。在我看来，未必尽然。我们之间之不同，恐不止“气质上的”而已。因为，我有很多关于各事各物的确定意见，往往为甘地咭所不赞同。不过，在已往的若干年内，我总往往把这些不同之点，认为无关紧要。当时的国民大会，正为着争取整个民族之自由而斗争。在这种伟大事业之下，这些不同，当然是很小的事体了。我自己时常有着一种信念，以为在这种大斗争之中，每一个人都应该尽忠领袖，对同事合作诚实。有很多关于理论上的互相不同，应竭力遵从他人，委屈求全。一方面，我希望着将来事态的发展，会渐渐使别的人们接近自己的观点。在目下，应该力求能与大家协力，共同在甘地咭领导之下，争取全民族之自由。

现在，甘地咭这么一来，使我深深地感到寂寞，大感知音稀少之苦。觉得平生所受到的教训，实以此次为最令人伤心。同时，也更进一步地了解，对于重大问题，应该自力更生，不能依靠他人。自己应该有单独作战到底的能力，如果一味依靠他人，结果一定归于幻灭。

甘地咭的宗教性质的政治斗争手段，在我的心中，这时是完全失掉地位了。积年累月的愤怒，使我对于宗教和宗教对百事万物的观点，大大反对。宗教不是完全以感情和冲动为基础的吗？它是“清楚地思考”的敌人。它想到的是另一个世界，与现实的人生无关。它具备着很多先入观念，这些先入观念使它不去、也不敢去正视现实。因为恐怕看出这些现实和这些先入观念互相违背。它以为它本身已经是建立在真理之上，十分确信自己确已发见了全部的真理。它再也不自寻麻烦，去寻求真理了。它所要做的，就是把自己认为是真理的“真理”，向人宣传就行了。它天天主张着和平，同时，它却对于一种非依暴力即不能生存的组织，予以拥护。它痛斥暴力之不对，可是，这儿有着一种不声不响地到来的暴力，以“和平”的方法，杀死人，饿死人，更有甚者，是不动声色地从内部毁灭人们的志气，粉碎人们的精神，击破人们的心。然而，它不去反对，因为，它主张的是“非暴力”。

同时，我也想起作为我的苦闷烦恼之由的甘地咭本人来。甘地咭是一个多么奇异的人物呢？他具有着一种差不多是不可抵抗的吸引人的力量，有着一种压倒之势的力量。由他所写的文章，所说的话，有时还不能表达出他的人格来。他之为人，是远较其言其文为高远。甘地咭对于印度的服务，是如何之多而巨大？他如何使全印度的男女都充满了一种勇气，一种男儿气概！他如何使他们富有纪律，富有能耐，富有一种快乐地为一桩事业作伟大牺牲的精神，富有自尊之心！甘地咭曾经说过：“勇气乃品格之基础。没有勇气，便没有道德，没有宗教，没有爱！”“无论谁，只要一日存有恐惧心理，即一日不能实践真理，实践爱！”他平生最痛恨暴力，最不主张暴力的。然而，他仍说：“怯懦，是比暴力更使人痛恨的东西。”又说：“纪律，是使一个人能够专心的保证。没有牺牲、纪律和自制，便没有获救的希望。然而，无纪律之牺牲，仍属无效。”

当然，这些辞句也许看去是很陈腐的。然而，这些辞句的后面，存在着一种伟大的实际力量。因此之故，甘地咭成为全印男女之神圣了。他差不多完全可以代表印度，可以代表这个历尽坎坷的古老国度的精神。可说甘地咭便是印度，甘地咭的情感，便是全印度的情感。因此，对于甘地咭的一次很小的怠慢，可以说不是他个人的问题，而差不多是对印度全民族的侮辱。印度很多的总督，常以轻蔑的态度对待甘地咭，所产生的结果，他们是不知道的。一九三一年，甘地咭在伦敦参加圆桌会议经由罗马回印时，罗马教皇拒绝他的往访。罗马的天主教皇，对于在他自己的范围以外的圣徒，是不赞成的。尤其因为有一些基督教徒把甘地咭称为“宗教伟人”，认他为一个真实的基督教徒，罗马的天主教皇，自然更不要和这位“异端”发生关系了。可是，教皇却不知道他自己这样的行动，在印度所引起的反感为何如。当时，差不多全印度的人士，都不满意于教皇。那时，我心中也十分愤慨。认为这不是对甘地咭个人的怠慢，而是对整个印度的侮辱。

甘地咭之伟大与其对印度之功之高，是毫无疑义的。我也由甘地咭身上得到不少的好处。然而，甘地咭在革命问题上，仍不无不正确之处，这也是毫无疑问的。因为甘地咭的一切活动，其最终目标何在，无人敢于断言。我自己和他有着很多年的不断接触，然而对于他的最终目标，心中仍茫然无所知。我想恐怕连甘地咭本人也弄不清楚罢。甘地咭说道："一步于我已足。"他于是死也不想向前再看一看，试寻出一个确定的远景来。甘地咭不惮烦地说了又说的一句话是："但去寻找方法，结果自会产生；只求个人本身生活良善，则他人自会效尤。"这当然并不是一种"政治的"、"科学的"的态度，也许甚至于也不是一种道德上的态度。因为这儿还有一个问题：什么是"良善"呢？它只是个人的问题吗？或者，是一个社会的问题吗？甘地咭时常强调着的，是品格。他完全忽视智力的训练与发展。没有品格的智力，固然是危险的，但是，没有智力的品格，又是像什么东西呢？真的，品格究竟如何发展的呢？有人曾把甘地咭比之于中世纪的圣徒。他所说的话，确与中世纪的那些圣徒们的符合。可是，却不适合于现代。

我想，一个人对于自己的活动目标，糊糊涂涂，无明确的认识，实在不对。行动，应以确定的最终目标为准则。此种行动，乃得为有效的行动。生活环境，不一定都是合理的，吾人必须有着各种不同的目的，以与之适应，可是，某一一定不易之最大目标，则必须时时保持，以为一切之南针。决不可漫无目的。

有时，我也想到，也许甘地咭对于自己的一定目标，也并不糊糊涂涂，也有着一定的方向，不过，他的这种目标、这种方向，和现代的理想、现代的环境互相违背罢了。甘地咭是无法适应这种现代的理想和环境的。他这种目标和方向，自从他在南非洲倡导他的哲学以来，便已十分清楚。一九〇九年的时候，他曾经这样写道：

“印度之拯救，在于使大家忘掉过去五十年以来所学得的一切学问。铁路，电报，医院，律师，医生以及诸如此类的东西，必须铲除；所谓上层阶级的人士，必须以自觉之精神，宗教的心理，和敬谨的态度，对于农民们的朴素生活，加以研究，认清楚，只有这种生活才能产生出真正的快乐。”

“每次当我走入火车车厢之中或乘坐汽车之际，我总觉得我自己损伤了我自己的是非感。”

“企图以高度人工化的快速度的火车头来改造世界，不啻企图作不可作之事。”

上面的这些话，既然是甘地咭在一九〇九年之时就已写下的，能否完全代表他的思想，当然未便确定。但是，由这一点，也可以看出甘地咭的思想来源为何如了。所有这些，在我看来，都是错误而且有害的理论。同时，也是不能实现的妄想。在甘地咭这种理论的背后，是甘地咭对于“贫穷”、“痛苦”以及一种“制欲主义”的生活之赞美和喜悦。在甘地咭看来，进步与文明，不在于需要之增大，不在于更高的生活标准之产生，而是：“对需要作自动的、苦心的压制。这种对需要的压抑，可以增进快乐和满足，可以增加一个人服务的能力。”

如果我们对于甘地咭的思想的这一个基础予以接受，则对于甘地咭思想之其余诸部分，亦可因而了解。对于他的活动，也可以清楚了。可是，当时我们大多数人，并未接受他的这一种基础，因此，现在对他的很多活动，便觉得十分不满。

我对于甘地咭之赞美“贫穷”、“困苦”，极不欢喜。这些东西，都不是人们心中欲得的东西。我们应该设法予以全部铲除。对于甘地咭所主张的“制欲主义”，我以为或不妨用之于个人，但是，决不可能是一种社会的理想。对于朴素，平等和自制，我本是十分了解也十分赞成的。但是，朴素平等和自制，却不能意味为磨折人的肉体。我以为，正和一个体育家之必须锻炼其身体一样，我们亦必须锻炼我们的思想与习惯。一个人如果过于纵欲，则不可能期其于危机到来之时，忍受痛苦。如欲有良好之道德，必先有健全之身体。可是，这却不是自己磨折肉体或制欲主义之谓。

对于甘地咭所主张的“简朴的农民生活”，我也不赞成。我对农民们的此种可怜的生活，觉得十分可怕。不但自己不愿意去过，而且，想把农民们也从此种苦境救出。我也并非主张乡村都市化。我不过想把都市的文明，扩大而及于乡村而已。这种农民的生活，不但不能使我们获得真正的快乐，简直使我感觉到这是一种可怕的监狱生活。把人类的理智返归于原始的环境之中，在此种环境之中，理智不复被重视，这简直是一种不可思议的主张。这样一来，足以使人类引以自豪的东西，便这样地归于毁灭，殊不值得。现代的文明，其中既有恶，亦有善。同时，它本身中还有一种可以铲除此种“恶”的可贵力量。如果把这种文明连根带蒂地予以毁灭，不就等于毁灭了这种大可宝贵的有用力量吗？使世界重返于浑浑噩噩之境，过其可怜的原始生活，这，退一步说，即使是好的，也是不可能的。世界不断变动的潮流，我们无法停止它之向前，我们也不能离它而自去，这是很明显的事体。

甘地咭的活动，其主要目的在于对个人的拯救，使其能免于罪恶。我们却时时以整个社会之福利为念。我自己无法把握“罪恶”一词的概念，也许即以此故。我不能了解甘地咭的一般理论。甘地咭并不是要来改革社会机构的，他要努力的，是要求个人不为罪恶。他曾经这样地写过：

“‘司瓦底习’的信徒们，是从不去自讨麻烦，作改造社会之企图。因为，社会之改造，本系依据上帝所定之规律而进行，现在如此，将来也如此。”

所以，甘地咭对于社会的工作态度，是积极的，可是，他心目中的对象，却只限于制止个人的情欲而已。他认为这种情欲，甚至于欲放纵情欲之动机，都是罪恶。由此观之，甘地咭的观点和我的观点，距离实在太远，无法觅致一致之道。

了解了甘地咭的这种理论基础，对于甘地咭对性的看法，也可以认识了。性行动，在甘地咭看来：

“任何一种结合，如果其动机和目的，并不在于后裔之生产，便是罪恶。”

“以人为之方法勉强行之，其结果必致身体虚羸，神精衰弱。”

“如果行动之后，仍欲避免其必然产生之衰弱结果，是错误的，也是不道德的……一个人，如果白纵其性欲，纵欲之后，乃欲借补品或药物以避免其必然之衰弱，这是不对的。尤为不对者，乃系既已纵其兽欲矣，而竟亦避免其必然之结果。”

甘地咭对于性的生活，作如此的看法，当然是不正确的。如果甘地咭之言不谬，则我老早犯了罪了，成为神经衰弱了。罗马天主教，也反对性的行为，但是，他们却也顾虑到人类天性之一般的要求。在二者之间，觅取一种折中的说法。甘地咭则不同，他简直认为，除了对于欲生产后裔之时而外，完全否认人类的性要求。他否认男女之间有性的引诱力之存在。他说：

“但是，有人对我说过，我的这种想法是不可能的；他们说，我没有估计到存在于男女之间的那种天然的引诱力。但是，我以为这种男女之间存在着的性的因缘，不能认为是天然的。男女之间的天然的因缘，是存在于兄妹之间，母子之间，父女之间的引诱力，而非一般男女之间的引诱力。此种天然的兄妹之间的，母子之间的，父女之间的引诱力，乃世界之支柱。”

更有甚者，甘地咭还写道：

“我一定得使用我所有的全部力量这样主张：性的诱引力，即使是夫妻之间的，也非自然的。”

对于甘地咭的这种主张，要么，接受它，要么，拒绝它，别无中间之途。因为，这完全是盲目信仰的问题，并非理智的问题。在我看来，甘地咭的此种主张，绝对错误。他的主张，也许未尝不适用于某种个别的场合，可是，如果用之为一般的手段，则其结果一定会产生各种不正常的病态。

性的节制，是必须的。可是，甘地咭如此极端的主张，却非正确之道，亦绝不可能实现。因为太极端了，一般人认为非能力所及，结果仍一行其素，不去理睬他。如果一定要矫揉造作地遵行，则虽夫妻之间，亦必有冲突发生了。甘地咭之所以会对这一问题作如此奇怪的主张，也许是当年在文学上所有的性的泛滥所引起的反应罢。我自己知道自己是一个正常的人，并未如甘地咭一般地对性生活如此地压制。而在事实上，我的性行为既未使我神经衰弱，也不曾妨碍我的其他活动。因此益发觉得甘地咭的奇怪主张，真是奇怪之至了。

我坐在阿里坡尔监狱内，左思右想：想起蓬蓬勃勃的革命运动，给甘地咭一纸申明书停止了；想起一向信仰着的领袖甘地咭，其思想与行动，竟和自己的如此背道而驰。心中一种寂寞、苦闷、悲观的情感，油然而生。对于国家前途，个人未来，均感彷徨。但是，不久以后，渐渐恢复原状，走出了悲观之境。又加以茄梦娜曾到监狱中来看过我一次，我心中想，到底自己也还有着一个永远在一块儿的人，便更觉得安适了。

然而，印度局势与甘地咭个人，却仍长久地留在我的脑中不走。

差不多一般的伟人，都是怪人，甘地咭，尤其是一位大大的怪物。如果只读他的文章，没有和他作私人之接触，常时会把他误认以为他一定像天主教徒那样无趣，那样的难于接近。反之，他是一个很有趣的人。他的笑容，最易引起人们的快感。当他走进一间屋子里去的时候，室中空气会变得十分融洽，十分有趣。所以，如果只引出他的文章的一部分，用以了解他之为人，或竟以之而批评他，时常会走到错误之路。我和他多年相处，知之甚稔；但仍有很多地方，无法了解。常使我觉得奇怪的是，甘地咭对于为人奴隶的印度及印度人民，极为关心，极为爱护，然而，他本人却支持着一个迫害印度及其人民的机构；他反对暴力，痛恨暴力，然而，他本人却支持着一个以暴力为基础的政治的，社会的机构。也许，说他支持或拥护这样一个机构，是不正确的罢。因为，我们可以说甘地咭是一位哲学上的安那其主义者。但是，理想的安那其世界尚未到来；这是一个难于实现的理想。因此之故，甘地咭便接受目下的既存秩序。

有时，甘地咭甚至还把他自己认为是一个社会主义者。不过，这个为他所使用的“社会主义者”一词，只能用之于他一个人，具有特殊的意义。因为，他这一位“社会主义者”，其实与实际的社会的经济的组织无关。一般的国民大会人员，也追随着甘地咭应用这一名词。因之，它的意思实在是指一种模糊的人道主义者。

甘地咭本人如此自称，其实并非他本人不了解社会主义，胡乱引用。恰恰相反，他曾读过很多关于经济的书籍，关于社会主义甚至马克思主义的书籍，并且也常和别人讨论着这些书籍的内容。不过，真正地处理大问题的时候，这些知识却一点也没有发生作用。甘地咭早年在南非的时候，思想曾有过一次转变，从那时以后，便成了定型。以后对于万事万物，他都抱定了一个确切不移的看法，决不动摇，也决不接受一点后入的意见了。当别人向他说话向他提供意见之时，他十分用心地去听。然而，听了以后，他却仍然一点不改变他一向怀抱着的见解。他对于自己所认定的理论，过于深信，以致其余一切诸事，都属次要了。

甘地咭对于社会主义尤其是马克思主义，是怀疑的。因为，社会主义，和“暴力”有关。“阶级斗争”这一个名词，本身的意思，就包含着彼此间的冲突，包含着暴力。所以，在甘地咭看去，是不行的。对于大众的生活水准，提高到某程度以上，他也不赞成。因为，在他看来，有着更高的生活水准和更多的闲暇时间，其结果所届，一定是对情欲的放纵。目下少数富有的人们的放纵情欲，已经使甘地咭觉得罪过已极。再把大批的下层民众，也引到放恣情欲之路，那更不行了。如果你对甘地咭宣传，说：假使没有投资利益的作梗，则今日的科学和工业技术水准，已足以使人民的衣、食、住、行各项问题得到相当的解决，生活水准即可提高。这些话，他是听不进去的。因为，这样的结果，他根本便不希望。因此之故，社会主义的中心思想，便无法引动他的心，促起他的注意。至于资本主义社会呢？因为其中存在着罪恶，他也只能予以部分的容忍。他对于社会主义社会与资本主义社会两者均不赞成。可是，他却容忍后者，因为在他看来，后者总算是少用“暴力”，因而也少有罪恶，并且，又已经是既存的体系。

甘地咭不希望人们有着一种安逸闲暇的理想，只要他们幻想着一种道德上的生活，除掉一切恶劣习惯，渐渐减少纵欲的机会，如此个别地由精神方面自图发展。至于那些愿为大众服务的人们，也不必去企图提高劳苦群众的生活水准，但求把自己的生活水准降低，与农民们混成一块，过同样的生活。据甘地咭的意思，这就是“民主政治”的精神。

他时常强调一种概念，即信任封建王公，大地主以及资本家等。教皇曾经说过：

“富人，应该把自己认为是万能上帝的奴隶。是上帝的财产的保护人和支配人。耶稣基督即把贫困穷苦之人的命运，付托于他们之身上了。”

庸俗的印度教徒及回教徒，都重复地宣传着这 理想。把富人们认为是大慈大悲的。他们所因此得到的报酬，是富人们替他们建造庙宇，同时，把一些用不了的小钱，分之于穷人。甘地咭的理论基础，正与此同一。教皇的理论背景，是很久以前的社会。那时，逃避现世苦恼的唯一可能路线，便是希望于来生。现在，环境虽然变动，物质的发达，大胜从前，然而，基本未动，不过所强调的不同，现在是强调着一种模糊而空洞的精神价值了。

甘地咭决心要由道德上，由精神上，由内部去改造个人，再借此以变革外部的发展。他的这种理论，要大家终止恶劣习惯和纵欲情感，而由此变成纯洁无疵。他强调制抑性欲，戒酒忌烟等等。即使只由个人的观点而论（就整个社会而言，更不必说），难道天下之事，便无比这些个人的情感更有害的东西了吗？如：自私自利，贪得无厌，个人间因私人利益而起的凶猛冲突，集团派系的残酷斗争，某一集团对另一集团间非人性的压迫与剥削，以及各民族，各国家之间的可怕的战争等等。当然，甘地咭对于这些现象，也一定要反对。可是，这些不都是与今日这贪得无厌的社会有着关联的吗？——这个社会的规律，是弱肉强食。现代社会中的获利的动机，无疑地会产生彼此之间的冲突。既存的社会组织，对于这种抢劫的天性，竟予以保护，使其在各方面均有机会发泄。既然这个社会对于这种动机，予以鼓励，那么，甘地咭的理想——道德人性怎能够在这种环境之中实现呢？他或能个别地达到他的目的，然而，恶社会却会把其余大多数的人们，吸引到它的道路上去。

我对此认为并非仅仅是道德的或伦理的问题，而是目下迫切的现实问题。因为整个世界都在混乱之中，印度人士不能坐待世界变革，每天以批评资本主义，社会主义以及共产主义为事。当此之时，我们只有在如下的二条路上，任择其一：要么，印度设法向后退；要么，被潮流冲上前去。也许，甚至于还不能作如此的选择，因为，“向后退”，实在是一桩不可思议的事体。

然而，甘地咭真正地要向后退去。他的主张，不仅使人想到其结果将成为一个自给自足的国家，而且，简直是一个自给自足的乡村。他只想借农村小工业在很小的范围内，提高农民的生活水准。不拟任其作进一步的发展。可是，事实上的印度，确不能如此地孤立起来。因为印度本已与国际连在一块。即使她果然要求脱离，也不可能。因此，一种窄狭的自给自足的社会，实无存在的可能。我以为，无论由那一种观点来分析推论，都不能得出肯定的结论。

不可避免地，我们将被引导到唯一的决定，即须建立一个社会主义的新秩序。最初仍有着国家与国家间的界限，久而久之，全世界化而为一。对于物资的生产以及物资的分配，均以统制之形式为之。其全部目的，则在于谋取公众之利益。究竟我们将以何种手段达到此境，那是另一回事。但是，为一国以及全世界人类之福利的计划，决不能因靠既存机构而获利的少数人所反对而被阻止，此理至为明显。如果有某种政治的或社会的机构，对于这种变革有了障碍，则此种机构必须铲除。决不能牺牲吾人所企望着的实际的理想，而与此种反动的机构妥协。此种大变革之到来，一部分当然必受国际潮流之影响，然而，必须在得到有关国民大部分的同意或默许之下，始能成功。因此之故，必须争取他们以从事此项工作。少数集团的暴力，无济于事。甚至于对那些靠现存机构获利的人们，亦必努力争取，不过，能因此转变的成分，恐不为多耳。

甘地咭的土布运动，手织手纺的运动，可说只是在生产当中的个人主义之强化，而其结果，会使印度社会开倒车到工业时代的前夜去。对于这种运动，如果认为是解决目下重大问题的一个方法，殊不足多，并且，还产生了一种心理上的倾向，一种有碍于向正当方向生长的倾向。但是，如果认之为一种暂时的权宜之计，倒也不无用处。只要一日尚未实施关于土地问题以及工业问题的良好解决办法，这种运动，也是颇值得予以提倡的。

当此之时，我以为关于这种社会的大变革，即使不去讨论具体步骤，对于此种变革之必需，一定得清楚地认识，得明白地陈述。如果一个领导者或思想家，连这点也不认清，也不对它作明白之叙述，那么，他怎能够期待别的人也跟着他走呢？也跟着他想呢？怎么能够在民众群中产生他所需要的心理准备呢？局势的演变，当然无疑地是一位强有力的导师，可是，对于局势必须先要有相当的了解：究竟它是否可能被群众认识，正确的行动，是否能在其中生出。

无论那一种社会，政治的，经济的以及社会的组织，在其组织的背后，必有其自己的哲学。每每当这些社会变动之时，它的哲学基础亦必须变动，始能与之相符合，并能尽量作有益之利用。以一般的情形而论，哲学往往会远落在实际之后，这种落后，便产生出很多困难与苦恼。民主政治的思想，和资本主义制度，是一道在十九世纪发生成长起来的，然而，它们之间，彼此却并不互相符合。其间有着一种基本的矛盾。民主政治的思想，强调多数人的权利，而资本主义制度，却把权力付予少数人去了。然而，双方仍继续并存下去，此盖由于这些资本主义国家中的议会政治，本是局限于一个很小的范围之内的。这种情形，不会妨碍一种独占和权力集中的发展。不过，即使如此，二者之裂隙，却亦日益增涨，离婚之日之到来，乃不可避免之事。今日议会的民主政治，实已声名狼藉，各种新的口号，于是甚嚣尘上。因此之故，英国在印度的政府，也变得更为反动。借口把给予印度形式上的自由，也收了回去。此风一开，印度土藩王国也顺势宣称要维持中世纪的封建情况了。然而，议会民主政体之失败，不在于它走得过远，而实由于走得不够远之故。因为，它并未准备经济上之民主，所以其本身即不可能是十分民主的，而且，它的手段也太过于迟缓，不适用于今日的迅速变革的时代。

印度的土藩王国，可以说是现世界仅有的专制政体的极端的典型。它们当然臣属于英国政府。不过，英国政府对它们之干涉，目的只在于发展或保护其投资利益一方面而已。别的事都不甚注意，全由王公们自行其是。

这些土藩王国，好像有着一片烟雾遮盖着它们，使外人无法看清楚它们的内部情形。在这些地方，报纸也不准发行，只有时有一二张官方的周刊出现。外面出版的报纸，是不准送入国内的。文学水准也十分低下（只有少数例外，如可城和特拉文斯哥尔等地，其水准还较英辖印度为高）。由这些王国中所传出的消息，都是一些无聊的东西。或者说总督来游，或者又是某公结婚之类的新闻。对于这些王国，不准动辄批判，定有明律。在英辖印度也是如此的。在土藩境内，连最温和的，最善意的批评，也受到严格的压制。公众集会，在这些地方，是从来未曾听到过的东西。甚至于一些社会上的普通集会，也被禁止。由外面前往的闻人名士，是不许入境的。

各个土藩王国的境内，其情形如此。则国民大会出而代表王国之内的被压迫民众的基本权利，对王国的统治作正当之批判，殆为必然之事。然而，甘地咭却在国民大会内、发明了一种新奇的政策，主张对于这些土藩王国，应采取“不干涉王国内政”的政策。这种奇怪政策，即使当王国之内发生了很大的惨案或它们已向国民大会攻击之时，亦继续使用。很明显的，甘地咭担心的，是国民大会的批评，可能得罪了这些王国的统治者们，而因此增加“转变”他们的困难。

他的这种政策，甚至于对采邑领土以及收税区制度，也一样地应用着。这一种半封建的体系，已经是过时的东西了，老早成为生产和一般的进步之障碍物，这已是毋庸置辩的事。它们甚至于和发展中的资本主义，也互相冲突。类乎此的体系，已渐渐完全在世界上消失，而让位于自耕农了。然而，我在一九三四年到一九三五年之间，曾经领教过甘地咭的高论。他竟赞成这样制度，而希望它能继续存在下去。他在一九三四年七月的国民大会孔坡会议上说：

“地主与佃农之间，如果双方均能作良心方面之改变，则彼此之关系，即可变得较为良好。如果能够做到这一点，则双方便能和平相处下去。”

因此，甘地咭本人的态度呢，是“永不赞成消灭采邑领土制或收税区制的”。

据说，甘地咭当向他们的一个代表团讲演的时候，甚至说：

“我决不主张毫无正当理由便把有产者的财产剥夺

的。我的目的，确在于说服你们的良心，想你们能够为你们的佃农而代为保有你们的财产，并能够以他们之福利为目的而使用之……如果有什么人企图剥夺你们的财产，我即将站在你们的一方面而斗争。西欧方面的社会主义与共产主义，是建立在一种理论之上。这种理论，和我们东方的，有着基本上的不同。他们的理论之中，其一，是相信人类天性的自私……我们的社会主义和共产主义则不然。我们是以'非暴力'为基础。以劳动者与资本家之间的，佃农与地主之间的合作为基础。"

东方与西方的社会主义或共产主义，有如此的基本区别，也不知是甘地咭的发明呢，或者，是有所据而云然。这且不去管它，但是，甘地咭却不该不对印度的佃农，作更进一步的认识。这是很明显的事体。印度的这些地主，是永远不会去想到牺牲自己的利益而为他们的佃农谋福利的。很多佃农，本来是拥有土地的自耕农，但是，因为受了城市高利贷者的剥削，失掉其本来的财产。自己的土地所有权转移到高利贷者的手中，他们成了地主，而自己却一变而为自己原来的土地的佃农了。这些由高利贷者变成的收税区主，照甘地咭的说法，是佃农的依靠者，要靠他们来替农民谋福利了。

对于采邑制度与收税区制之存在，我是绝对反对的。如果说这种制度很好，那么，我们便可以把它在印度普遍地实施了。如果有人提议在古者拉特设立这种制度，恐怕甘地咭未必赞成罢！那么，为什么这种良好制度，只适于用孟加拉，贝哈尔和联合省，而于古者拉特以及旁遮布等又不适用呢？而全印度的人们，又并无主要的不同，他们的基本意识是同一的。由是观之，事实是：无论如何，现状总得继续下去。目下的环境，无庸予以变革。甘地咭所要做的，只是改变“人心”而已。这是对人生及一切问题的一种宗教的态度，与政治、经济、社会毫无关系。然而，甘地咭竟尽全力于此，想用它来救印度呢！

三四　国民大会宪法斗争派与社会主义派

在阿里坡尔监狱中，一来因为环境不卫生，二来心境不好，我的身体受了相当的影响。加尔各答的空气和日渐炎热的气候，很使我担心。幸好五月七日，被转送到德赫拉东的监狱来了。这是我的老地方。但是到达之后，才知道这个老地方，已与九个月之前不同了。关我的地方，倒也清爽。有一个凉台连接着，门前还有一片广场，可供运动之用。但，也有不好的地方。本来从前在德赫拉东的监狱时，面对高山大树，风景极佳。这次回来却大不相同了。这个牢房的四周，已筑有高墙，看不见山了。在狱中数月，只得见几株大树之尖，大感寂寞。他们又不许我出去散步，只准在门前一片地上，作作运动而已。明明知道，离开自己不过数步之外，即有青山绿水的大自然风景，然而，可想不可及，这对于一向酷爱山水的我，当然是万分遗憾的。一个人给关在一个地方，连与同伴共处之乐也失掉了。有时，监狱的铁门，因为看守员之出入，偶然一开，为时虽暂，亦得一睹门外景色。深觉怦然开门之声到来，也就等于身在狱外，感到无限的快乐。然而，不久也就产生了一种相反的结果，因为门开为时过暂，景物一瞥即逝，心中烦恼之情，油然而生。反觉不如毫未得见为佳。后来，门虽怦然作响，我反而有意掉头他顾，以避免那种一瞥即逝所产生的苦闷。

这些时候，茄梦娜的病和狱外的政治活动，也甚令我不快。

茄梦娜终于又跌入老病的掌握之中了。我心中虽焦急，然而一筹莫展。我明知自己如果在她的身旁，她的病一定较轻。可是，身在狱中，有翼难飞，徒劳幻想。

在德赫拉东的监狱中，每天均可读报。由报纸上得知，国民大会在巴特拉召开了一次全印委员会。三年以来，国民大会都被视为非法团体，无法召集会议。然而，在这次三年以来的第一次大会之中，对于三年以来国内所发生的大事，以及国际局势的大变动，参加开会的人们，都未曾予以讨论。甘地咭还是他从前那种迭克推多的老态度，仍然说着："如果你们要拥护我的领导，你们得接受我的主张。"他告诉全印委员会说，大家必须遵行常务委员会的决议案。之后，他竟自去了。

这时的国民大会，分成了两个主要集团。一个希望在法律许可的范围以内，从事争取良好宪法的斗争。另一个，则怀抱着一种颇为模糊的社会主义之革命的企图。会中大多数人士，对此两派，都不甚赞成。他们一方面不想返归到宪法斗争的旧路，另一方面，也怕社会主义式的改革，将不利于本身。彷徨无所适从之余，他们又把希望寄托在甘地咭的身上，唯甘地咭之马首是瞻。因为甘地咭当时袒护宪法斗争派的路线，这一派便在会中占了优势了。——在这种局势之下，对于国内的大事，即使作长久的讨论，大概也无甚用处罢！结果所届，国民大会大开倒车。领导者们都在宪法问题上大兜圈子了。

这时的国民大会，政府已撤消禁令，又成为合法团体了。但是，很多和大会有关的组织，仍被目为非法。

其中如“农民组合”，很多教育团体，“职工联合会”，“青年同盟”以及某些少年团体，都还是非法的。当时，边区省的红衫社，也属于非法组织。这一团体，自一九三一年起，便已成为国民大会的组织之一，并在边区省代表着国民大会。所以，这时的国民大会，虽然一般地撤消了它的攻势行动的文明抵抗，返归于宪法范围之内的活动，而政府方面，却仍保留着因文明抵抗而颁布的各种法律，继续禁止国民大会的主要附属团体之活动，仍目之为非法。对于“农民组合”和“职工联合会”的压迫，更为注意。同时，很多官方人士，却鼓励着大地主们以及收税区主们，叫他们自己组织起来。政府方面对于这些地主的组织，特别予以各种便利。在联合省方面，大地主和收税区主们的租税，甚至于还由政府的收税机关代他们征收呢！

印度教大乘会的一位秘书，甚至于很赞成政府对边区省红衫社的压迫，并公开表示。我得知这一消息，心中万分愤怒。即使离开原则方面的问题不谈，而边区省的人民，在这次的斗争之中，极为英勇，也受到很多痛苦，这是众所周知的事。并且，他们的领袖之一的加法尔汗（Khan Abdul Ghaffar Khan），此刻仍在狱中，他是我们印度的一位最英勇的战斗员。我听到这位印度教大乘会的秘书的理论以后，一方面很同情加法尔汗，一方面痛恨大乘会之无耻。当天下午，正当暑气炎热之中，我在狱中打盹，做了一个奇怪的梦，我梦见加法尔汗正在英勇地奋斗之余，复为四面八方之人所攻击。我便奋身仗剑而起，为保护加法尔汗而与各方面的攻击作战。惊醒之后，十分疲倦。枕头已为泪所湿。

在这一段时期以内，公私双方，多多不惬人意。我在狱中的生活，可谓空前痛苦。每每在夜里睡不着，或者在梦中惊悸，大叫而苏。

正当我最感苦闷的这些时候，国民大会常务委员会的一项决议案，增加了我的苦闷与伤心。这决议案说"因鉴于今日之侈谈私有财产之没收以及阶级斗争之必须"，故有此决议。接着，又唤起大家对加拉契大会的主张，说："既不主张无正当理由即没收私人之财产而不予赔偿，亦不提倡阶级斗争。国民大会的主张，以为没收私产和阶级斗争，均与大会之非暴力的原则，互相违背。"这一决议，无疑地是在宪法斗争派占上风的会议上通过的，其目的系用之以对付当时新组成的国民大会社会主义派（Congress Socialist Party）的。事实上，这一派的负责人士，谁也没有谈起过没收私人财产的话。至于阶级斗争，也不过往往在理论上说明其业已存在而已。国民大会常务委员会的这一个决议案，似乎是向大家暗示，有谁相信阶级斗争之存在，即不能成为国民大会之一般的会员。这一决议案之目的，显而易见，盖在于争取国内有产者阶级对宪法斗争派的支持，而在下次立法议院选举之时，好占多一点的席位。同时，国民大会常务委员会，越来越向右转。对于很多的落伍者以及国内的温和派与保守分子，都开始去做联络工作了。甚至于在那些一向和国民大会敌对，当文明抵抗进行之际站在政府方面的人士面前，也去说好话了，国民大会之中的“嚣扰”而“善于批评他人的”左翼分子，这一来，成为他们这次“转变”的障碍物了，势非予以肃清不可。这次的决议案以及很多个别的谈话，都已说明，国民大会常务委员会对于这次业已决定的新路线，决定坚持到底，决不为左翼分子的“吹毛求疵”的批评所动。如果左翼分子不如议决案行动，便可以把他们驱出会外去。国民大会议院委员会（Parlimentary Board of the Congress）所发表的宣言，其语调之谨慎小心，态度之温和驯服，实为过去十五年来所仅见。

此时在政府方面，则趾高气扬，深庆这次对文明抵抗运动之压迫的成功。他们决定继续此项高压政策，尤其对国民大会中，农民群中和工人群中的前进分子，肆意压迫。他们知道，虽然国民大会已成为合法团体，而政府对于前进分子予以压迫，国民大会的领袖们，不但不会抗议，而且，一定是赞助的。

我在狱中得悉这时的此种反动情形，苦闷之情，实难于言说。觉得现在一切既然不满人意，便开始把已往的事，重新一一回溯。并且，用很理智的态度，把过往的一切，加以检讨。看看在过去若干年之中，究竟有多少工作是正确的，而其正确又到如何的程度？有多少工作是错误的，而其错误又到如何的程度。同时，觉得把心中所想及评及的事，一一笔之于书，或亦不无用处，一方面又可以借此消磨狱中的长久而寂寞苦闷的年月，于是，我从一九三四年六月起，便在德赫拉东监狱中开始这本自传式的散文之撰写。差不多一共八个月之久，都继续不断地写着。

七月底，茄梦娜的病状转剧，数日以来，都在危险期之中。八月十一日夜，我突然被带出监狱，由警察解到阿拉哈巴德。第二天上午，当我抵达普拉雅格（Prayag）车站的时候，该地的县长告诉我，我已被暂时释放出狱，目的在于使我能够出来看茄梦娜的病。

这，是我被捕后六个月差一天的一日。

三五　茄梦娜之病

出狱是暂时的，一二天之内，即须回去。只要医生认为对于茄梦娜的病体不是绝对需要之时，随时均得回狱。在狱外的时间，不论长短，如有一定，便可支配而予以利用，然而，这次却是不定的时间，使我无法计划做事。

这次的忽然更动，完全出乎意料之外。我事先并没有料想到。忽然之间，由一个冷静的生活环境，走到一个充满了医生、朋友和家人的环境来。我的女儿英底娜，也由参丁尼客坦回来探病。这种生活与狱中生活，其空气是完全不同的。然而，在这种热闹而又充满了安慰与舒适的空气之中，我仍然有着一种焦急苦恼之感，即是对于茄梦娜之病的担心。

她躺在床上，骨瘦如柴，身体十分虚弱，正与病魔苦斗。想到她可能离开自己而长逝，心中万分伤心。坐在她的病床之侧，漫溯往事，真是无限伤感。想起结婚当日的情形以及其后若干年的事来，我们结婚以来，已经十八年半；那时，我是二十六岁，茄梦娜才十七岁。她当时正是一个未谙世故的女郎，身段苗条，年轻美丽。我们两人的年龄相差甚大。然而，在观念上的相差尤大。因为我已是一个成人，她还十分年轻，彼此脑中思想，大不相同。当时，我自己虽然业已成人，但亦仍然不无孩子气。一点不曾想到这位温柔而慧敏的女郎的心，好像一朵刚刚开放的花苞，甚需要温柔而小心的照顾。我们当年彼此爱慕，过得很好，但因两人思想的程度相差悬殊，所考虑者各有不同，往往彼此之间，仍多不相尽合之处。常时为了一些琐碎的小事，而发生口角，有时处理不当，结果形成冲突。不过，这种所谓“少年夫妻吵架”，往往为时极暂，在很短的时间内，又复和好如初了。我们两人都有着一种快发的脾气，一种敏感的天性，一种保持自尊心的孩子气的观念。虽然如此，我们的爱情仍深，婚后二十一个月的时候，便生产了唯一的女儿英底娜。

结婚之后，便来了很多的革命工作。结婚当年，正是“自治同盟运动”极盛一时之际，我专心致志于革命工作。不久，又来了“旁遮布的戒严令事件”和“不合作运动”，我更越来越专心于革命，不顾一切，也差不多是忘掉了她。正当她迫切地需要伴侣之时，我竟完全忙于工作，将她遗忘。让她一人留在家中，过其孤寂生活。然而，茄梦娜却一声不响，并且竭力安慰我，协助我，鼓励我。她把被人遗忘之苦，埋在肚里。然而，我们之间之爱，也因此日深。

不久，她的时发时止的病来了。而我呢，又时常到狱中去生活。我们只能在很长的时间隔离之后，在监狱探望时，得暂时之晤谈。后来，文明抵抗运动的狂潮，也把她卷入了实际斗争的漩涡。也和我同样入狱，过监狱生活。我们的心，因此更为接近。因为不容易见面，所以对于见面的机会，十分宝贵。往往屈指计算时日，渴望着两会之日之到来。我们双方，永远不会疲倦，每次会面之际，在短短的谈话中，总有着不少爱的新成分加入，使我们的爱情，永远新鲜，不会发生陈腐之感。我们彼此当时由对方身上，作新的发见，即使这些新发见是令人不高兴的东西也好。在我们之间，有好些属于成人性质的冲突，也往往含有不少的孩子气。

虽然结婚了十八年之久，茄梦娜一如昔日之天真美丽，而我则屡经困难，变了许多。我虽然在性质上还有着一点孩子气，也还活泼，然而，面容却使人看出业已“老成”了。头发已见灰色，额头亦有皱纹，眼睛也有些阴影了。最近四年以来，各种问题，各种麻烦，使我愈见苍老。而她却仍然年轻美丽。所以，近年以来，当我们有时一块儿到一个新的地方去的时候，人们有的竟把她错认为我的女儿。她和英底娜差不多全像一双姊妹。

在此十八年的结婚生活之内，我不知化了多少年月，生活在监狱之中，而茄梦娜呢，也不知化了多少年月，卧病于病床之上。究竟曾有几何年月，是我们快乐相处的时候呢？而现在，我仍是一名囚徒，只因她而暂时出狱，她呢，又卧在床上与死神斗争。想到此地，我不免略略发她的脾气，恨她对于自己的身体，马马虎虎，以致如此。但是，同时又想，怎好责备她呢？印度在为人奴隶的状态之下，正值伟大的民族革命斗争之际，她常觉自己无能，未得参与行动，中心很懑。既不能投身实际战斗之中，而内心的火，又复熊熊地燃烧着，无寄托之所因此损及身体的健康，故走到今日的病境。罪过似乎也不能完全归在她一人的身上。

正当我迫切地需要她的此时，她总不会竟瞑目长逝罢？我们正开始真正地彼此了解呀！我们的共同生活，刚刚开始呀！我们互相依靠，有着很多的工作，必须一块儿去做的呀！

我这样地在她的病床之侧沉思，几无一日一时离开她。

很多同事和朋友们，都来看我。他们告诉我很多最近发生的事体，也问我很多关于政治方面的问题。但是，对于他们提出来的问题，我都没有答复。一来，因为心中正为茄梦娜的病所苦恼，无暇及此；二来，在很久的与世隔离的监狱生活之后，对于局势未有完全之了解，也不能马上作任何断言。长时期的斗争经验告诉我，不能依靠在狱中所得的少许情报而认识、判断狱外的局势。要想有正确的意见，对于实际，必先有多方面的亲身接触。不然，所发表的意见，亦必多学究之论，与现实不相适合。再者，我既然尚未能和国民大会的同事们亲身讨论各项问题，骤然批评国民大会的政策及甘地咭或者别的领袖，似乎也不妥当。另一方面，我也不愿意作任何积极的建议，因为一时既然未能出狱，我也不想去考虑这类的问题。

除这些考虑而外，我还想到，政府之让我暂时出狱，其目的在于使我能来看茄梦娜的病，我自己也不该利用这个机会作政治活动之用。我虽然并未向政府提供任何保证：决定不利用此种机会作政治活动之用，但是，心中也仍然以为不应如此做去。

除了辟谣性质的申明而外，我也避免发表任何方面的申明。即在私人生活内，我也避免谈及目下的政治局势。可是，我对于过去的事体，却自由地批评其得失。国民大会社会主义派，刚刚组成不久。我很多亲密的友人，都已加入其中活动。该派的政策，与我的思想一致。不过，这组织是一个颇为混杂的团体。当时即使我自己有着行动的自由，我也未必加入。不过，当时关于地方事体，却略略顾及。就在我出狱的那些时候，阿拉哈巴德正在作国民大会地方委员会之选举。这时曾发生过一些恶劣的选举战。有时个人之间发生冲突，我被请去调解，我也去。不过，这种选举战，性质相当恶劣，我心中甚不赞成。并且想到如果自己必须在这样的环境中工作，倒很讨厌的！

这时，我曾写过一封信给甘地咭，向他报告茄梦娜的病况。同时，因为料想自己不久即将入狱，恐再无谈话机会，便在信中把几个月来自己的思想，略为提及。因为近来的事体，很使我不快，这封信也就不免反映出这些不快的色彩。不过，我并未作任何建议，以为何事该做，何事不该做。我只把自己对于过往各事的反映，告诉甘地咭而已。后来才知道，这封信，曾大大地使甘地咭感到苦恼。

自我回家以后，茄梦娜的病状，好了不少。我每天都等候着政府召回狱中的命令。政府方面，也日日催促医生，把茄梦娜的病况，逐日报告。

政府对我的徒刑，那时本拟结束，予以释放。但是，因了两桩事体，终于停止了。第一桩，是因为国民大会将于十月在孟买召开秋季大会；第二桩是十一月里的议院选举。如果我被释出狱，一定又成为这两个场合的麻烦因素。因此，又得叫回去再关三个月，让这两桩事过去以后，再放出来。不过，当时完全不必回去的可能性也很大，此种空气日浓一日，我几乎准备坐定下来了。但是，在我出狱之第十一日，即八月二十三日的那天，一位警察官坐了车子来了。他下车来告诉我说，时间已到，要我上车到赖力监狱去。于是，我便和家人告别，登车而去。当我要踏上车子去的时候，我那仍在病中的老母，张开两臂跑上前来送我。她当时的面容，一直萦绕着我，很久很久之后，我仍然无法忘掉。

这次，为了茄梦娜的病，在家中勾留了一共十一天。

这一来，又被提回狱中。我心里觉得自己好像成了一个鸡毛毽子，给人踢进踢出了。

赖力监狱，也是老地方。从前在此地曾住过很久。这次心中打算，顶好仍能够回到从前住的那间老牢房去。那间小屋子很好，有一个凉台，还有我的妹夫雷吉特从前栽下的一些花草。可是，事与愿违，这间六号牢房已经关了一位“拘押犯”。把我和他关在一起，在当局看来，是不很妥当的。所以，把我关在另外一间牢房里去了。这间房子比较闷塞，也无花草可见。不过，我觉得居处所在，于我倒无甚要紧，因为我的心是可以各地周游的。

这次回家，当然使茄梦娜的病稍微好了一点，可是，这一点点好转，仍然经不起我重回狱中的打击，果然又渐渐重了起来。回狱中后，最初每天还得到关于茄梦娜的病状报告看。这些报告，是由医生打电话报告警察总署，再由警察总署转知监狱的。但是，后来不久，这病状报告也停止了，然而，茄梦娜的病，却日益深沉下去。

等候消息之焦急和知道坏消息后的痛苦，使我坐卧不安。时间好像特别以最小的速度前进似的。我料想孟买大会闭会后，当可破释出狱了。这也不过是几个月的光景。然而对于这两三个月，简直觉得是无限长了，忍耐不下去。再度入狱一个月后的一天，警察忽然来把我带出狱去，去看茄梦娜的病。并且告诉我，以后每星期可以这样地出去看她二次。回来以后，专心等候第四天之到来。第四天来了，又去了。第五天，第六天，第七天，都来了，又都去了。总不见警察来带我出去。同时，茄梦娜的病又重入危险期。我觉得他们好像是在和我开玩笑了。

苦恼的九月，终于过去了。这时，由各方面传来的消息，说，如果我愿意提供保证（即使是非正式的保证也可以），保证在刑期未满的这一段时期以内，不与政治活动接触，则政府便可以把我释放，不必再坐牢了。这时，我本也不想参加当时的政治活动。同时，在狱外这十一天所看见的政治，也真使我感到厌恶，不拟染指。然而，向政府“提供保证”吗？我不！我认为这是不忠于自己的誓言，不忠于伟大的事业，而且，不忠于自己的同志，也不忠于自己。这是一个绝不可能的条件。这样做去，我以为不啻在自己的灵魂上刻上一条伤痕，是侮辱了我认为神圣的一切事物。他们还告诉我，说，茄梦娜的病越来越沉重了，我之出狱与否，关系她的生死。当时，我心中想，难道自己的尊严，会比茄梦娜的生命还要紧吗？我可以保存自己一己之私欲，而让妻子作这种私欲的牺牲吗？心中觉得十分苦闷，进退为难，不知如何是好。但是，这种苦闷，当时并未麻烦我。我断定茄梦娜本人也决不赞成我为了她之故而向政府提供此种保证的。如果我这样地做了，一定反而吓了她，使她伤心的。

十月初，他们又把我带回家中看她的病。这时，茄梦娜正卧床中，已入半睡状态。身上正发着高度的热。她当然是万分迫切地希望得见我在她的身旁，但是，当我向她告辞要回狱中去的时候，她勇敢地向我微笑，用手招呼我到她面前去，叫我俯身下来。我照样做了，她低声说道："向他们提供保证吗？这算什么？决不要如此！"

当我在狱外那十一天的时候，本来已经决定，只要她的病体稍为好了一点可以移动时，便把她送到另外的地方去疗治。但是，病却无好转趋势，反而日益恶化。结果，决定不再老等好转，一任其日趋不治，乃决定不管如何，马上转移到万山丛中的波华里（Bhowali）去。当她准备离开到波华里去的前一天，他们又把我带出去看她，好像是告别。当时病已沉重，我心中万分悲哀。我想，什么时候才能再和她见面呢？会不会从此永别呢？这一天，茄梦娜的颜色却很愉快。我因此心中也略觉高兴了。她去了三星期以后，政府又把我送到阿尔莫拉县（Almora）去。因为这样可以使我能够常和茄梦娜接近。我们乘车到阿尔莫拉去的那一天，因为茄梦娜疗治之所就在途中，我们便在中途下车，前去看她，在她的住所坐了好几个钟头。我看见她的身体好了许多，心中很愉快。便高高兴兴地登车而去，到阿尔莫拉县监狱去坐牢去了。

从此时起，我就给关在阿尔莫拉县的监狱内。此地建筑虽甚简陋，而地位宽敞，空气也很好。每天我均可以在露天里晒太阳，看飞云。有时看看天上的云霞千变万化，心中怡然自得，暂时忘掉了别的很多事，也忘掉了很多悲哀。尽心欣赏自然之美去。我宁可生活在这简陋而宽敞的地方，不愿在那窄小的牢房里。这里当然不免较为寂寞，但我宁可忍受这种寂寞。不过，心中也仍担心着茄梦娜那时愈时发的病。听到一点不好的消息，常时使我心中不宁很久。在心志不宁之时，我便向山中新鲜空气寻找安慰。然而这一次我却比从前任何一次更希望出狱。看看孟买大会开过了，十一月来了又去了，议院选举的风波也过去了，然而，我仍然留在狱中，不知是何道理。

正当此时，忽然传来了加法尔汗又被捕定罪的消息。同时，政府还下了很多禁令给鲍斯（Subhasg

Bose）[1]，禁止这样，禁止那样。鲍斯，是一位印度人士，大家尊敬的革命者。他为了父亲的病，冒着自己的病，由欧洲赶回家来，不幸来不及得见父亲之死。政府当时的这种行动，完全表示他们的一种不放松印度人的观念。我因此想，政府态度既然如此，则我之被释出狱，尤为无望了。后来，政府的公报，果然证明这一猜想。

到阿尔莫拉监狱一月后，他们又曾把我带出去看茄梦娜的病。自此以后，三星期去看一次。当我去看她的时候，和她闲谈，在我自己觉得很高兴，在她，病也因此渐渐好了一点。这时，我母亲也病在孟买。我也常时接到关于她的病状报告。我成为专听病人消息的人了。

[1] 现已投入轴心怀抱，做了“印奸”。

三六　吾人之目标，究何在乎？

在狱中，由报纸上得悉这次国民大会孟买会议的情形。在会场上，有两桩显著的事体：一方面，甘地咭在会中，仍是占优势的人物，另一方面，有着由马拉维亚喀和阿勒（Aney）领导着的分区自治主义的反动空气之存在。

这次会后，甘地咭决定暂由国民大会引退。这不但是在国民大会的历史上翻开了新的一页，同时，这可说也是印度现代史中的重要事件。不过，在外表上虽是如此，实际情形则不尽然。因为，不管甘地咭愿意与否，他个人在国民大会中的优势地位，总一如往昔。所以，甘地咭之引退，似亦不甚有重大关系。

这次大会，通过了一个决议案，主张召集宪法会议，以自己决定印度的宪法。这很使我听了高兴。我以为，这样一个会议，无论如何，总有一天必须出现。而且，印度的宪法问题，除了以这种形式解决而外，亦别无他路。不过，事实也非常明显，除非印度成功一次胜利的革命，不然，这样的会议，当英国政府不予同意之时，欲想召集，乃决不可能之事。而在日下环境当中，要使英国政府同意，也一样地不可能。所以，除非印度已经有了很大的力量作为背景，一次真正的这种会议，还是不可能的。并且，一切政治问题，也都必须在印度有着一种力量之时，才能作彻底之解决。

这时，伦敦方面和英国在印度的政府，对于此案的反应，是饶有趣味的。由半官方面的消息得知，政府是同意的。很明显的，他们之所以同意，是把它认为和从前“各党会议”一般的老花样，其前途是一定要失败的。所以，不妨同意它，这叫“惠而不费”。并且，借此还可以增强自己的地位。但是，后来渐渐看出这决议案的危险性和可能性，便开始来猛烈地反对它了。

孟买大会闭幕之后，接着便来了议院选举。我对当时国民大会的议院活动的纲领，虽然毫不热心，但却十分有趣于这次选举。并且，也很希望国民大会获得胜利，战胜其目前的敌人。这些敌人之中，是分区自治派以及一些流氓分子和一向拼死力支持英国政府的压迫政策的一些人们。结果，国民大会果然获得胜利。把不少的坏分子赶出议院了。

议院选举结束不久，印度宪法改革联合议院委员会（Joint Parlimentary Committee on Indian Constitution Reform）的报告书发表了。在各色各样对报告书的批评中，所强调的，都是指出报告书内容表示出英国政府对印度人的“不信任”和“怀疑”，认为这是不对的。这在我看来，完全错误。我颇引以为异。我觉得，由此种观点去看印度民族的、社会的问题，是不对的。难道英国与印度之间，并没有存在着基本上的冲突吗？目下的问题，实在是要看那一方面的势力可占优势。难道印度还能承认英国的帝国政策在印度继续存在下去吗？英国的看法，一定要印度依照英国的旨趣“自治”，印度如果表示确有此种能力，足以在这种条件之下“自治”，那时，英国对于印度的“保护”，当然可以取消。英国现在对印度“不信任”,“怀疑”，即是“不信任”这一点，“怀疑”这一点。这还得强调地指出吗？如果印度打算让英国的帝国政策长久地继续下去，那还有什么好说的呢？如果英国“信任”了，不“怀疑”了，则印度之前途，究何在乎？

这次英国究竟打主意把多少自由给予印度，可由印度最温和最落伍的集团，对此事的反应得知。因为，连他们也反对这项报告书了。有的甚至还十分激烈地批评，目之为反动。有鉴于报告书内容之不利，连自由党人，也知道无法维持他们的理想，无法主张把印度变成英国统治下的自治领了。

这时，自由党的领袖们以及一部分国民大会的人士，把印度的前途希望，寄托在英国工党（Labour Party）的胜利之上，希望英国由工党来组织政府。当然，我们若不努力去和英国国内的进步分子合作，或者，不去利用英国工党在英国的胜利以裨益于自己，那是毫无理由的。但是，如果完全以绝望的态度依靠它，把印度的前途，寄托在命运的转变上，实在有伤国家尊严，有损民族光荣。即使对尊严光荣之类而不顾，这也是完全毫无常识的希望。印度为什么要如此地依靠英国的工党呢？印度曾经碰到过两次的工党内阁了。应该还记得他们给我们的礼物罢？这些礼物，究竟是些什么东西呢？一九三四年南港会议（Southport Conference）时，美农（Mr.V.K.Hrishna Menon）提出一个提案："表示深信'给予印度建立完全自治政府之权'的自决原则，应该立刻履行。"亨德孙先生（Mr.Arthur Henderson）即力言必须从速收回此项提案。并且，非常坦白地拒绝代表执政者提供保证，对印度自决的政策，予以实行。他说：

"吾人业已明白宣称，一俟可能之时，吾人即将就商于印度人民之各方面，必须使人人满意。"

这就正是前次工党政府的政策，此种政策的结局是：圆桌会议，白皮书，印度宪法改革联合议院委员会报告书以及印度法案（Indian Act）等等。

其实，讲到大英帝国的"对印政策"，英国的保守党（Tory）和工党之间，几乎完全一致。当然，工党的一般的人士，相当前进。这确是事实。但是，这种前进，与他们那些富于保守性的领导者的思想行动，均无关系。也许，工党的左翼分子，有一天会得势，但是，印度的民族运动能够静待这种局势以解决其问题吗？

圆桌会议最显明的一个结果，不过把土藩国王公们推上前来而已。保守党死硬派对这些王公们及其“独立”十分关心，这种关心，使他们活跃起来了。从前，他们对于英国人的话，不敢说一个“不”字。英国政府人员，对他们的态度，简直是公开的侮辱；他们国家的内政，也屡屡被英人干涉。直到现在，有好些土藩国还是直接地或间接地被“借用”的英国官吏所统治。但是，这次邱吉尔（Mr. Churchill）和诺柔米尔（Lord Rothermere）的争论，才好像把印度的英国政府的气势稍稍减杀，不大敢肆意地干涉他们的内政了。这些王公们也因此神气地说起话来了。

在狱中静静地注视着事态的演变，我觉得当时政治活动界所呈现出来的一切外表现象，都是空虚的，完全外表的。它们那实实在在的背景，是一丝一毫也还没有改变。这些背景是什么呢？是：对印度自由的不断的压迫；民族革命运动，到处都受到阻碍，受到挫折，一种鼓励反动势力的倾向，则遍于全国；很多人还在狱中受苦，寂寞地度其宝贵的年华；他们的家人亲族为痛苦所侵蚀；不少的组织，仍被目为不合法团体，在在受到压迫；紧急治罪法（Emergency Power）以及叛乱镇压条例

（Tranguillity Acts）等等，残酷地施行着；不少的书籍以及各种定期刊物受到压迫，或者，根据海关条例（Sea Customs Acts）禁止入境；发表含危险性的文学作品，可以成为长时期徒刑的原因；不准公开地谈论政治的或经济的问题；对苏联社会文化方面的实况作赞成之言论，尤为危险。《现代杂志》（*Modern Review*）因为刊载过一篇泰戈尔先生游苏回印后所写的关于苏联的文章，便受到孟加拉政府警告。以上这些，便是当时的政治活动界一切现象的背景。在这样的背景之下，印度政治活动界正提倡着改革啦，以及组织责任政府呀之类的事。

这时，由国际的范围而论，各方面正大大地变动着，旧的世界即将死亡，新的世界即将到来。尤其是世界上的经济方面的变动，其意义为尤大。十九世纪的体系，已渐渐成为过去，不能适用于现代了。

我们必须正面地对着很多问题，而且，必须勇敢地去正视他们。现在，既存的社会经济的体系，既然不能大量地改善大众的生活条件，它还有资格继续存在吗？有没有别的体系可以胜任此种任务呢？仅仅是政治的改革，能够实现根本的改善到如何程度呢？如果英国的投资利益妨碍到我们心中所希望的革命变革，难道我们还能牺牲大众之利益以维护这种投资利益吗？当然，我们的目的，也并不是一定要害及这些投资利益。但是，我们一定得阻止它们，使它们不去害及别人。如果我们能和这些投资利益妥协，我们也未尝不愿意。对于此，其当与不当，人们容有不同之意见。然而，谁也相信获得和平解决之为得计。这一种解决，当然绝对不是消灭了一种投资利益后，又以另一种投资利益代之。无论何时，只要可能而且可行，则出以合理的赔偿形式，盖亦未尝不可。因为，如果彼此冲突，则其损失或将更大于此。可是，不幸的是，一切历史告诉我们，投资利益对于此种妥协，决不接受。已经在社会上失掉了主导作用的阶级，也往往连智慧也失掉了。他们宁可作全胜全败的赌博，因此之故，他们也被注定必须全败而衰亡下去了。

当考虑变革既存秩序之际，我们必须估计及物质与精神双方面之损失为何如。我们决不可过于短视。必须认清其于人类幸福与物质精神双方之进步的影响为何如？我们心中亦必须记清，如不改革此种秩序，则其所受之损失与痛苦又何如？如此权衡轻重，以定选择。

当然，社会主义所示之巨大变革，自然不能以卒然之间，通过少数法律而达其目的。如果我们必须在印度建立社会主义的体系，则不能靠一时之冲动为之，亦不能以肆意破坏毁灭为手段。当然，有很多障碍必须铲除。但是，应该认清，我们的目标是生产而非破坏。是把目前的“不足”，变为将来的“有余”。为要如此做去，则道路必须扫清。很多的阻碍，各种自私自利，举凡足以使社会倒退者，均须铲除。我们所欲遵行的路，完全与爱恶无关。而必须其在经济上说，是正确的，能够进步，能够适应环境，能够为大多数人谋幸福。这才是我们应该遵行的路线。

利益之间的彼此冲突，似乎已是无法避免之事。此间盖别无他路。我们每个人均应作理智之选择，究竟应立于何方。我们必先知道，先了解，始能加以选择。对于社会主义，如果只有情绪上的冲动，是不够的；此外，必须有一种以事实，理论和详尽的批判作为基础而产生的理智的认识，始克有效。在西方，有着很多关于这一方面的述作，而在我们印度，则大感缺乏。很多书籍都被禁止入口。不过，如果只读在他国所出版的书籍，也不够。如果我们必须在印度建立社会主义，则这种社会主义，必须由印度的环境中产生出来。因此，我们对于印度的环境，作深入之研究，实为必须之举。我们目下缺少能够研究、设计各种计划的专门人才。很不幸，我们所有的专家，差不多都在为英国政府工作，或者，在半官的大学校之内。他们在这一方面，不敢走得太远。

要实现社会主义，仅有一种学术上的背景，仍然不够；别的力量，仍为必需。不过，我觉得，如果没有这种学术上的背景，我们即永远无法得到要领，永不能创造一个强有力的运动。在印度，目下的土地问题是万分重要的，未来，或者仍将属于重要问题。但是，工业日趋成长，其重要性亦不减于此。然则，吾人之目标，究何在乎？一个农业国家呢？或者，一个工业国家？不消说，印度将仍是一个以农业占优势的国家。不过，我以为我们必须而且可能力促工业之高度发展。

我们印度的工业巨擘们，在意识上仍十分落后，他们甚至不能被目为现代的资本家。至于劳苦大众，也仍十分贫弱。他们甚至于还不能认识他们是主要的消费者，也不会为增加工资减少工作时间而奋斗。印度的工业巨擘们，对印度的工业之全般认识，还是属于十九世纪早年的方法。他们见有机可乘，即设法增加其利润，工人们则一如往日地继续着。如果物价跌落，他们便大声埋怨，说，无法支持了，非减低工资不可。他们不但得到国家之协助，甚至也得到中产阶级的政治家们的同情。如果把他们的豪侈生活和工人们的穷相一相比较，我们即可获得一种很深刻的教训。然而，对于这种对比，我们往往视之为当然，竟马马虎虎地让其过去，并未予以应得之注意。

这是产业工人的命运，其困苦已如此。但是，如果仅就收入之多寡而论，他们比较起农人们来，似又好了很多。一九二八年到一九二九年之间，旁遮布的农民，每人每日的平均收入为九个安拿（Annas），约值九个辨士。这数目到一九三〇年至一九三一年之间，降为九个派士（Pies），约合三个法寻（Farthing）。[1]然而，旁遮布的农民，一向是被认为比较联合省的、贝哈尔的以及孟加拉的农民为幸福的。在联合省东部区域如哥拉克普

[1] 一法寻合四分之一辨士，乃英国最小之铜币。

尔（Gorakhpore）等地，在不景气之前的繁荣时代，每人每日的平均收入，只是两个安拿哩！

对于此种苦状，吾人究将何以除之呢？印度人民之境地如是低落，欲想提高，诚非易事，然而，方法无疑是可能找寻出来的。所以，真正的困难，其实来自获利集团之反对变革，同时，在英国的势力占优势的今日，任何变革均成为不可能。然则印度最近之将来的可能方向如何呢？现在看去最可能的两种趋势，一为法西斯主义，另一为共产主义。动摇于此二者之间的，渐渐消失了。

我在狱中对于目下各事，如此地作模糊而学究式的言论。不过，我也深信，当可能行动之时，我决不致于躲避的。在狱中看来，一切活动都远离着我。我写着关于印度政治以及有关全世界的各种事体，然而，这些东西，对于业已成为我的“家庭”的这监狱小天地，有何用处呢？一个犯人，自有其最最主要的趣味，那是他自己的出狱之期。别的均属次要。

三七　结尾

我的故事，差不多就要结束了。这篇自我的叙述，写至今日（一九三五年二月十四日）为止，我现在正在阿尔莫拉县监狱之中。三个月以前的今天，我在狱中过了我的四十五岁的生日。我想，我还有很多年可以活在世上。我有时有一种年事已大之感，有一种老迈之感，有时又觉得生气蓬勃，精力充沛。我身体既壮，心志也往往有一种能在打击之后很快恢复的能力。因此之故，我想，如果没有什么突变发生，我总还可以生活很久的。不过，未来之事，此时无从下笔，必须先过了生活，才有文章好写。

我的这些冒险故事，也许并不动人，因为，呆坐狱中，差不多不能称之为"冒险"。同时，我这种生活，也不是独一无二的。这种生活，差不多是我们很多男女同志的共同生活，不足为奇。我曾经是群众之一员，和它一块儿而前进，受它的影响。然而，我同时也还仍是一个“个人”，与别的人们分离，而在群众的当中，度自己的个别生活。这些过往的年月，曾经带给我一件可贵的礼物：它使我渐渐把人生认为是一种饶有趣味的冒险了。其中有不少的东西，可资学习，有不少的事体必须去做。我渐渐因它而感觉到自己日渐成长。这种感觉，现在也还有着。它给我的影响，是喜欢活动，喜欢读书。一般地，把我的全部生活，变得很有价值。

当我撰写这本自传之时，每当叙述过往的某桩事态的时候，我总力求把当时我的感情依事实表达出来。不过，重新把握过往的情感，诚非易事。而吾人于最后所发生的事体，又往往不能忘怀。因此之故，后来的观念，不可避免地，在叙述过往的事体时，予以影响。也许，即以此故，我所写下来的东西，可能不是我的真正的历史事实。而是我有时想要如此去做，或希望我能够如此的情形而已。

在远处的高山看去似乎很容易爬上去似的，然而，每当吾人爬上之时，困难却多。而且，越爬得高，旅程之辛苦愈甚，而山顶反而笼罩在云端里去了。虽然如此，这种“爬”，到底也是很值得的。而且，在爬的过程之中，往往自得其乐。也许赐人生以价值的，乃是途中之奋斗，而不是最终目的之到达罢！那一条路是正确之路，常是难于认清的，然而，不正确之路，有时反觉较易认清。而能够避免不正之路，到底也已经是相当了不起的了。我想，我在这儿可以引用伟大的苏格拉底（Socrates）临终的一句话罢！他说：

“我尚不知死为何物——它可能是一件良善的事。我并不怕它；但是，我确实业已知道，抛弃自己的立场主张，确是一件恶劣的事。因此，我宁可选择可能是良善的东西，而不要已经知道是恶劣的东西。”

我在监狱之中消磨去了的这许多年月啊！我独自地坐着，沉入思考之中，而不知多少季节已如流水而去，一个随着一个地向无底之渊逝去了。我不知看见过多少次月亮的亏，诚不知物换星移，春秋几度，不知有多少的我的青春的“昨日”，即埋葬于此！有时，我好像看见那些已死的昨日之鬼，再度出现于我的前面，把过往的记忆，带到我的面前，细声地问我道：“它有价值吗？”

对这个问题之答复，是不必踌躇的。如果我还有机会用我现在所有的经验和知识重新再过一次这些生活，无疑的，在私人生活方面，我将有很多地方要予以更改；我从前做过的很多事体，好些地方一定得加以改良。但是，对于好些在公众面前的有关公众之事的重大决定，我必仍然一丝不改。真的，我完全不能改变它们。因为它们较我本身为强大，而一种我自己无法控制的力，把我拖向它们去。

我自被判决以来，差不多整整一年了。两年的徒刑，一年已经过去。但是，剩下的一年，亦必然将要一样地过去。而我仍将出外。出外之后呢？我不知道。不过，我总觉得我的一页历史，业已翻过；另一页必将开始。在这新页里，将写些什么，我此刻无法猜想。生命之书的若干页，于此关闭。

后记

——一九三五年十月二十五日于巴登惠勒尔·士茨华兹华德（Badenweiler Schwarzwald）。本年五月，吾妻离波华里赴欧洲医病。

基达（Quetta）地震之消息传来。不久，我们在狱中得悉政府不许国民大会主席普拉沙德（Rajendra Prasad）到基达去做地震的救济工作。甘地咭和其他的闻人，都不许去。

在印度，各地都充满了军队和警察的气味。英国政府，似乎是决心永与大多数的印度人民作对了。

警察的力量，是一种有用而且必须的力量。可是，一个充满了警察和警棍的地方，却不是可以生活之地。在这些时日里，印度各部之最堕落最腐败者，厥为印度文官部。每当高级官员之空缺仍待委任之际，谁最能代表这种堕落腐败之精神，谁就一定被选充任。

九月四日，因吾妻病状转剧之消息传来，我突然被释出狱。她是时正在德国士茨华兹华德的巴登惠勒尔医治。我的徒刑，是“暂停”了，他们这样告诉我。本来尚有五个半月才是刑满之期，这时，是提早释放了。出狱，我马上乘飞机赶到欧洲来。

此时的欧洲，正在混乱之中，充满了对战争的恐惧。同时，经济危机四伏。阿比西尼亚已被侵略；阿比西尼亚的人民被炸。两个不同的帝国主义集团，彼此互相冲突，互相威胁。帝国主义之中最强大的英国，一方面压迫着它的臣服民族，一方面正在拥护国联盟约和和平。但是，在我此地的“黑森林”中，却平静而安定，甚至连希特拉的万字旗（Swastika）也不大看见。云雾由山谷高升，遮盖了辽远的法国边界，盖着一片风景。大雾濛濛，我不知给它遮盖了的法国，现在究竟如何了！

三八　最近五年（一九三五——一九四〇）的生活

五年半前，我坐在阿尔莫拉县监狱中，写完了我的自传之最末一字。八个月后，我在德国的巴登惠勒尔写了一段“后记”。这本自传在英国出版后，幸蒙各国各种人士善意的欢迎，甚引以为快。我因此想到，借此书之出版，已使世界各地友人，得与吾人之印度接近。在某种程度上，认识吾人为自由的斗争之重要，殊为欣慰。现在美国版行将印行，编者要我写最近五年以来的历史，补充上去，使之合时。我觉得这种要求甚有道理，于是决心来加上这一段。

过去的五年半，把世界改变了许多。我翻开我的这本自传一看，好像是什么人替我写下的一本老故事了。我的妻子在瑞士之死，使我和我的过去断绝。她之死亡，结束了我生命之书的一段。我当初差不多不能想像她竟终于弃我而去。其后我的母亲之死，更使我完全和过去断绝。我的女儿在牛津攻书，后来也病入医院。我将在四处遨游之后，返归自己的家。自己孤独地住着，连客人也不会，我在嘈杂之后，需要平静了。

然而，我却无从得到平静，我此刻与很多党派组织均无法合作，甚至于与很接近的老同事亦不能相处。我不能照我所理想的做去，而同时却又妨碍他人，使他们不能照他们所理想的去做。因此，在公众生活里，我一个人变成孤独了，虽然广大的群众仍然来听我讲演，我也仍十分热心。

欧洲与远东所发生的事体，予我之影响甚大。“慕尼黑”简直是一个难于支持的打击。西班牙的惨剧，在我成了一个私人的悲痛。虽然这些一波未平一波又起的惨剧，使我灰心，而对于世界未来之光明前途的坚信，却使我心中平静。

现在呢，第二次欧战业已到来，我在印度又坐在另一个火山之口边。此时要我来写过去五年的历史，真是无法静心为之。即使我能够做，恐怕写出来的又是一大本书，因为要说的东西，实在太多了。因此之故，我只想在此力求其简洁地，追述过去五年之中一些我参加过的对于我有影响的事。

（一）第二任国民大会主席的职位

不幸的茄梦娜，一九三六年二月二十八日，终因重病不治，死于瑞士的罗散城（Lausanne）。在她死之前不久，印度来信，国民大会已选定我充任本年主席。这是我第二次任主席职，便很快就乘飞机由欧洲飞回印度了。

在我离开瑞士之前，罗马方面来信，说，莫索里尼希望当我取道罗马回印度时，和我一谈。我虽然一向就讨厌法西斯主义政体，但是，莫索里尼是现今扰动国际视听的家伙，如果此事在平时，我也很想会会他，但，这时却不愿意。这时，他对阿比西尼亚的侵略仍在进行之中。我恐怕我和莫氏的会面，会被利用为法西斯蒂的宣传。一到那时，虽竭力申辩，亦将无用。因为从前曾经有过很多印度人，一到意大利，便被法西斯蒂用作宣传资料。不管他们本身愿意不愿意。意大利方面，曾经向我保证，决不对我作此种利用。我和莫氏的晤面，决定完全属于私人性质。但是，我仍然决定避免，向莫索里尼表示了歉意。

然而，我却无法避免罗马，当日所乘的飞机，必经此地，并在罗马休息一夜。我一到罗马，便有一位高级官吏前来拜访，请我当夜去会见莫索里尼，并说，连会面的一切也都安排好了。我听了之后，甚觉奇怪。便对他说业已向莫氏辞谢了的。然而，他一定坚持请我前往晤谈，我一定不去。争执久之，一直到预定的面晤时间到了，他才退让，结果仍然没有和莫氏会晤。

回到印度以后，便马上开始工作。不到几天，便主持国民大会的年会。我发觉国民大会，经历了很多次变迁，现在会中充满了猜忌和冲突。但是，我最初很不以为意，自问自己的能力，足以应付目下的环境。后来曾暂时地使国民大会遵循着我自己的理想路线而进行。但是，不久以后，我便看出来，会中的猜忌冲突，业已根深蒂固，不易铲除。我想，倒不如辞掉主席职务为好。但是，后来觉得辞职一举，不过使局面更坏，便自己取消辞意了。

然而，不久以后，我又考虑这问题。因为我看出我的同事们，对我所主张的活动，不甚热心。他们并不是要反对那些具体活动，不过，对于一般的趋向，他们不欢喜。我觉得工作不能顺利开展，决定辞去，并写信给甘地咭商量。可是，正当这个时候，西班牙的事变发生了。我因此觉得不应辞职，这才又继续下去。

西班牙的叛徒弗郎哥（Franco），在德意的资助之下，向自己的人民开枪了。我当时估计，这样的事件，可能发展成为欧洲大战，甚至可能成为世界大战。那时，印度必定卷入漩涡。此时辞职，必成国内危机，不啻自己减弱自己的力量而已。对于这种分析，在整个局势的发展趋势说来，我并未错误。不过对时间估计得太快了一点罢了。

西班牙的内战，使我想起印度问题的国际性来。我觉得，中国、阿比西尼亚、西班牙、中欧各国以及印度，或者别的什么地方，其所发生之事，不过是同一个世界问题的诸方面而已。除非这个基本问题得到解决，不然，个别的问题是无法解决的。并且，在大问题解决之前，必定有着很大的变革，必有很大的悲剧产生。大家都说和平不可分割，我看自由也不可分割。这目下的世界，一些地方自由，一些地方不自由，是无法支持长久的。法西斯和纳粹的挑战，其实，在本质上说来，是帝国主义的挑战。他们是孪生弟兄，所不同者，帝国主义在殖民地或半殖民地等地方实施其压迫与剥削，而法西斯纳粹则在自己的国内也使用野蛮残酷的方法而已耳。如果要在世界上建立自由，则不但法西斯与纳粹应该打倒，即帝国主义，也非铲除不可。

当时，我的这种对国际局势的反应，在印度是一般的情绪，连民众们也注意起国际局势来了。这种群众的情绪，因国民大会所发动的对中国、阿比西尼亚、巴力斯坦以及西班牙等国同情的各种大会及示威游行而日益高涨。有时，国民大会还实际地以赠送医药材料或食物的方式，对中国和西班牙增援。这种对国际局势的关心，促进了印度本身的民族运动，使它走上更高的水准，铲除了那些狭义的民族主义的成分。

然而，这种情形仍然尚未深入群众之中。当时的印度农民，正为他们自己的穷苦以及把他们压碎的苛捐杂税所苦。在印度，土地运动到底总还是极重要的运动。当时国民大会对于土地运动的纲领，虽然已经相当激烈，然而，仍然承认着现存的制度。至于产业工人的情形则较好，常时发生罢工运动。一般富有政治头脑的人们，则正尽心力于讨论英国国内所拟就并加之于印度的印度新宪法。这个新宪法，虽然曾予各省以一些权力，然而，真正的大权，却仍在英国政府及其代表人的手中。对于中央政府，则计划一种联邦形式。这种联邦形式的中心作用，不过是把那些半封建性的专制王国和半民主的省联合起来，一同支持英国的统治于久远而已。这是一个稀奇的机构，永远不会做出一点事体，但是，对于保护英国的投资利益，则可尽最大的责任。这项宪法，完全为国民大会所反对。事实上，全印度几无一人赞成它。

宪法中关于省自治一方面，首先付诸实行。国民大会虽然反对这种宪法，却也决定竞选。因为，想借此一方面可以和千百万的选民发生亲密的接触，还可以和别的一些人们发生关系。我当时并不是一位候选人，但是，我却几乎走遍全印度，为国民大会的候选人作竞选宣传。差不多整整四个月的光景，走了五万多里。从印度的北部走到南部。并且深入那些毫无交通工具可资利用的农村中去。我这次周游，使用过种种交通工具，从飞机起，一直到徒步止，中间的各种工具，差不多都使用过。我们带着传声筒和播音机一块儿走。我每一天几乎要向十几个群众集会讲演。每次集会的人数，都在二三万人以上。平均每天要碰着十数万群众。在这次的旅行中，大约的估计，我至少曾经向一千万人民讲演过。

这次竞选，惊动了整个印度。各地都发生一种新的气象。因为，这种性质的竞选，较诸一般的竞选，可说还多着一层意思。国民大会这一次的活动，不但引起了三千万选民的趣味，还引起了很多并未投票的人们之注意。

我这次竞选宣传的旅行，对于我还有另一种好结果，即是我得到了好多新的发见。靠这一次的旅行，我对于印度及印度人民，有了更深一步之认识。在各处亲眼见到很多从前未曾见过的事物。我越多看见印度的实体，也越更觉得自己一向对印度了解之范围的窄狭。

大选结束，国民大会大告胜利。于是，我们便发生了一种争论，讨论国民大会的被选人员，是否要出而组织各省政府。争论结果，决定组织。但须在这样的了解之下：即不能受总督或省长之任何一种干涉。

此次竞选结束后，我曾到缅甸和马来亚去游历。每到一处，即蒙该地人士们予以欢迎。那是一九三七年的夏天。

国民大会人员，接受各省政府的阁员职位，很多省的政府，都是国民大会的人士所组织。这些充任阁员的，有很多从前都生活于狱中。我的姥姥拉克希米（Vijaya Lakshmi Pandit），便曾充任联合省的一位阁员。在印度妇女界，曾充任如此高位者，她可说是第一人。国民大会人士出任各省阁员以后，全国空气，焕然一新，大家都有一种获救之感，如释重负。全国都弥漫着一种新鲜空气，连农工群众，也都兴高采烈地盼望着，等候着，以为即将有重大改革之到来。政治犯也都出狱了。各方面的自由也多了一些。国民大会的阁员们，在各省的省政府里，非常坚苦地努力着。因此，别的人也只得跟着他们出力地工作。不过，他们得在一个旧的行政机构之内工作，这一行政机构，有的时候，不但不能协助他们，反而处处掣肘。曾有过两次，省长和阁员之间，发生争执。阁员们坚持自己的主张，以提出总辞职为言，结果，省长放弃自己的主张完事。虽然如此，有一些老的机构，如文官部，警察署等，势力甚大，各处都任意干涉，工作的开展，因而迟缓。令人不满意之处，也在在皆有了。

这种不满的情绪，在国民大会里面，也可以发见。进步分子大抵都深觉不满。这时，我觉得我们这个战斗的机构，越来越变成只是一个选举组阁人员的团体了，而我们是必须争取独立的，因此心中十分苦闷。一九三八年四月时，我写了一封信给甘地咭，在信中说：

"他们是太过于设法使自己适应于那种老的行政机构了，因此，证实了此种机构的存在之合理。不过，这种情形，虽说已经很恶劣，然而还可予以忍受。尤为恶劣者，乃系吾人以很多年之劳苦，始在人民之心中建立起来的崇高地位，于焉失掉。我们渐渐下降到一个普通的政治家的水准了。"

也许，我是大可不必如此严厉地对待我们这些阁员的。他们的这种错误，实在是由于当时的各种客观环境。环境如此，亦无可如何。凭心而论，我们的阁员们的工作，也已经做得很好了。不过，他们得在一个旧机构的范围以内工作，而国民大会的工作，则必须超出这种范围之外而已。在他们做下的良好工作之中，其一，便是通过了土地立法，这，相当地给农民以利益。此外，还有所谓“基础教育案”。这种教育制度，规定儿童在七岁至十四岁之间，应受免费的强迫教育。这种决议，其功甚伟，因为印度本一穷国，幼龄儿童多半失学。这种创举，可说在印度教育界实行了一次伟大的革命。高等教育以及公共卫生各方面，也都有改进。不过，凡此种种，结果仍不行，因为后来国民大会政府一律辞职后，也就人亡政息了。不过，成人教育的确产生了相当的结果，而农村建设也得到了相当的注意。

可是，不管这些国民大会阁员们如何努力，有如何大的建树，这种工作，都不能解决印度的基本问题。印度问题之解决，必须有一种更深入，更彻底的改革，始能成功。并且，这问题的中心，是要铲除帝国主义在印度的机构。因为这种机构，保护着各种各样的剥削印度的投资利益之故。

也就因此，国民大会内，在较为温和的分子与较为前进的分子之间，发生冲突了。这种冲突，在一九三七年十月召集的国民大会全印委员会上，尤有充分的表现。甘地咭对此种情形，十分恼怒。私下激烈地发表意见，后来他还写了一篇文章。在这篇文章内，表示对我以大会主席资格而从事的许多活动，不甚赞同。时至此际，我认为我自己实在不应该继续充任国民大会执行机关的负责人了。但是，当时我也决定不做任何足以引起危机的事。并且，我的主席任期将届，不妨到那时再悄然引退。我接连二年充任主席，一共任了三次。正在这些时候，还有着再推我继任主席的消息。可是，我自己心中知道自己决不堪继续了。曾亲手写了一篇文章，投登加尔各答的现代杂志，力言我自己之不应再度被选。这事，我自己觉得十分有趣。因为不用真名，文章刊出以后，大家猜疑不定，不知出自何人之手。几无人会想到是我自己写的，甚至连编者也都茫然。直到后来，约翰·根室（John Gunther）在他的《亚洲内幕》（*Inside Asia*）一书中提及此事后，大家这才知道此中原委。

结果，下次大会主席，决由鲍斯继任。下次大会即决于哈利普拉（Haripura）召集。

此后不久，我便决定到欧洲去。想到英国去看看我的女儿，她此时正在牛津攻书。然而，更重要的目的，是想去呼吸一点欧洲的新鲜空气。

（二）欧洲之游与重庆之游

然而，这时的欧洲，却不是平静的欧洲。整个欧洲所表现的平静，乃是暴风雨到来之前的平静。这正是一九三八年的欧洲，张伯伦（Mr.Neville Chamberlain）的绥靖政策，极盛一时，以慕尼黑（Munich）集其大成。我到这个混乱的欧洲去时，系由印度直飞巴塞洛纳（Barcelona）[1]。在巴塞洛纳留了五天，每天夜里看炸弹由天空降下。

我在欧洲勾留了一个月之久，觉得各方面都和从前大不相同。唯一丝毫不变的，乃张伯伦绥靖主义的高台。张伯伦胜利地盘坐其上，得意洋洋。后来，我又到捷克司洛伐克（Czechoslovakia）去，在这儿，我得机会领教到如何欺骗朋友和出卖自己的誓言之尊严的各种巧妙方

[1] 地在西班牙。

法。此次欧洲之游，使我看透了英法之无能与无耻。尤其是巴黎的态度，更其卑鄙难堪。使我想起，从前伟大的法国大革命，即发生于此，而今竟堕落至于此极！

由欧洲回来，心中装满了悲哀。路过埃及，该地华弗特党（Wafd Party）的领袖纳哈斯（Mustafa Nahas Pasha）和其他的领袖们，热烈地欢迎我。我在该地和他们共同讨论大家的问题，情感十分融洽。——其后数月，华弗特党曾经派了一个代表团到印度来，并且参加我们国民大会的年会。

回到印度后，我看见印度一如往昔，老问题和冲突之情，依然如故。我知道又要来面对应付同事的困难了。当此国际间正在酝酿着大的变化之际，很多国民大会的同事们，仍孜孜于国内的小斗争，甚使我感到苦恼。不过，在上层分子之间，似乎已经有着相当程度的了解与合作了。在国民大会之外，情形之坏，更为明显。分区自治派的反动，其嚣张程度，较前为甚。在真纳（Mr. M.A.Jinnah）领导之下的回教同盟，正以攻势的态度，倡导一种反民族主义的主义，见解十分窄狭，并且毫无定见。在理论方面，几乎是什么道理也说不出。全部工作，都是属于破坏性的，充满了仇恨和暴力的气味。这很使我想起纳粹党徒的斗争方式来。在分区自治派的组织之中，成长着一种流氓意识。当然，有很多回教团体以及个人，因不齿于回教联盟之所为，反而赞成国民大会的观点了。

遵循着这一种路线，回教同盟，不可避免地越走越入歧途。一直到公开采取反对印度的民主政治之态度时为止。他们竟至主张分割印度！他们这种奇怪的要求，为英国官方所鼓励。这些英国人的目的，系在于利用回教同盟以及其他倒退势力，以图减弱国民大会之力量和影响。正当小民族在世界政治舞台上已无位置而不能不为各民族大联合的一环之此时，在印度竟有人主张民族之分裂，实在是岂有此理之极。真纳之徒，都把这种要求的理由，解释为因有宗教信仰之不同。一究其实，这种分区自治的主张，甚至于与宗教信仰亦无关系。这种情形，纯粹是国内两派人的政治斗争。一派的要求，是一个自由的，统一的，民主的印度；另一派，是反动的封建势力，他们在宗教的掩护之下，企图保护其本人利益。宗教，在这样的应用之下，简直成为社会及个人之阻碍。它的本质，最初原是提倡精神的互爱，这样一来，便完全成为仇恨，偏窄，吝啬以及最卑劣的实利主义等等的源泉了。

一九三九年的国民大会主席选举结果，胜利者仍为鲍斯。会中情形极为恶劣。发生了很多麻烦问题，以致工作停滞。在特吕普里会议（Tripuri Congress）上，情形尤为不雅。彼此猜忌斗争，不一而足。这时，我的情绪也甚为低落。当时的政治局势以及国内国外所发生的各种事件，当然给我以很大的影响。不过，最直接的原因，乃由于我之与公众事业断绝关系。我对我自己不满起来了。我曾经发表过一篇文章，在文章里面，我曾说：

“我恐怕我很少能使他们（我的同事们）对我满意，然而，这是不足为奇的；因为，我自己对我自己，更不满多矣！如此之人，殊不足以言领导，我的同事，越早能够发见此点，则对我和对他们，都越好。我的心力与智力，均能继续工作，然而，给予他们以生命活力的源泉，却完全枯涸了！”

后来，鲍斯辞掉了国民大会主席之职，并且，进一步脱离了国民大会，发起组织“前进布洛克”（Forward

Bloc），这个组织的目的，差不多完全在于与国民大会敌对。虽然不久即归死亡，然而，在国民大会衰颓的过程中，实在发生了推波助澜的作用。这事，甚使我感到愤恨。冒险主义者与机会主义者们，往往借美妙的辞句而自图其私。这使我想起纳粹党徒在德国勃兴的事实来。他们的方法，是以一种动听的纲领掀动大众，谋取大众对他们的拥护，一旦成功之后，便利用所获得的这种大众的拥护之力，以从事另一目的完全不同之活动。

国民大会常务委员会既然闹得乌烟瘴气，我决心不染指。因为，我自己知道在此种环境之中，我无法适应。国民大会所从事的好些工作，我都不高兴。此时的甘地咭，其态度亦如从前，又正为某种事件绝食了。我曾经这样地写过：

“举凡我所不能了解之处，我无法行动。而目下事实是：我对于很多正发生的事体，全然不了解。”

我又说：

“摆在我们大家面前的选择，越来越困难了。而这又绝非右或左的问题，甚至亦不是作政治上的决定的问题。目下选择的问题，是：要么，不假思索地接受某些决定，这些决定，有时彼此冲突，而且，毫无逻辑之后果；要么，反对它，或者，怠工。……不假思索地去接受自己所不能了解的东西，接受自己不心悦诚服地信仰的东西，其结果所届，一定产生精神上的麻木不仁和软弱无力。在这样的基础之上，不能进行伟大的运动；至少，一种民主政治的运动，一定不可能。反对吗？这是难于采取的态度，因为，这样即减弱了自己的力量，同时，帮助了敌人。至于怠工呢？更不好，正当各方面局势正要求吾人行动之际，吾人竟出以怠工态度，则其结果所届，必致大受挫折，而产生很多纠缠而已。”

一九三八年年底回印不久，我曾做过两桩较有意义之事。第一，我曾主持过一次全印土藩王国人民会议（All Indian States，Peoples，Conference）。这次会议，系在卢地亚拉（Ludhiana）召集。我参加了这次大会，使我能和这些封建的土藩王国国内的前进的运动保持亲密的接触。在这些王国国内，正酝酿着一种力量，其结果往往引导到人民团体与政府之间的冲突。政府当局，他们有着英国的武装作为后盾。这些王国政府，本来就是在英国政府的掌握之中的，英国政府利用这种中世纪的封建遗物，作为压制剥削印度人民的工具。有人曾经把这些王公称之为“英国政府之第五纵队”，诚属不虚。其间间或有一二位文明的统治者，想和自己的人民大众站在一条阵线上，倡导一些实际上有用的改革。但是，强大的军事武装的阻力，却使他们不能不归于失败。

很明显的，这五百五十余个土藩王国，自己决无法以一个单独的政治的，或经济的单位而存在。如果印度成了一个民主的印度，他们当然不能再以封建的姿态而继续生存。其中一些较大的王国，也许可以成为一个单位，加入一个民主的联邦之中，其余若干小的王国，则势必非合并不可。较小的改革计划，不足以解决这一问题。这种王国制度，必须铲除，然后人民才能获得幸福。但是，这些王国之铲除，其先决条件乃是英国帝国主义势力在印度之首先铲除。

我的另一个较有意义的活动，便是充任一个国家设计委员会（National Planning Committee）的主席。这个委员会是由国民大会主办的。另一方面，与各省政府合作。这个委员会的工作对象，差不多包括一国的一切活动在内。后来我们设立了二十九个分会，分头设计各项题目——农业、工业、社会、经济、财政各方，都一一顾及。其全部目标，在于拟定印度计划经济的整个方案。这方案，当然为将来的印度所必需。我对此工作，甚感兴趣，以为是很有意思的工作。不过，我们所产生的任何计划，必须在自由印度的国家里，始能实施。此种工作，亦不过用作准备而已。因为，在目下国际发展的一般趋势之中，印度的经济改革，无论如何，必须是机构之社会主义化。这在英国的统治之下，是绝对不可能实现的。

一九三九年夏天，因为锡兰的印度人与当地的政府发生冲突，我为了此事，再度到锡兰去。我此次锡兰之行，在印度与锡兰的关系上，奠下了一种和善之基础。到锡兰时，受到各方面的欢迎。连在政府之中工作的锡兰人，也来欢迎我。我认为在将来我们的新秩序中，印度与锡兰，一定会联合在一块儿。在我的理想中，将来我们要建立一个民主的联邦。这联邦的成员，包括中国、印度、缅甸、锡兰、阿富汗等。可能之时，还再多包括一些国家在内。这不过仅就亚洲而言。如果我们能够使全世界联合一致，建立一个民主的世界大联邦，那当然更妙了。

一九三九年时的欧洲，正是充满了威逼空气的时候。在这种危机四伏之时，我本不想太长久地离开印度。但是，对于抗战中的中国，仰慕已久，游历之心甚切，最后仍然决定到中国去一次。我由印度乘飞机直达重庆，很快就返回印度。因为，那时的欧洲，战争终于降临了。

在自由中国，勾留不上二周。但是，在这短短的十数日之内，对于我个人，对于中国与印度之间将来的关系，都有很好的影响。我这次游华结果，深觉中国与印度，实在应该加强联络，共同努力，一致争取不可分割之自由。中国的领袖，也抱着如此的希望。在重庆时，和中国的伟大领袖蒋委员长及其夫人，面晤很多次。我们非常详尽地谈到目前的局势以及将来的希望等等。

我到中国之前，对中国及中国人民之抗战，早表深深的敬意。到中国后，实际地看出中国的英勇，更使我对他们的尊敬之心，增加百倍。我实在不能想象任何一种不幸的命运，可能把这个已经回复到年青时代的古老民族的伟大精神击破的。

（三）第二次世界大战中的印度

战争与印度，吾人行将何以处之？过去若干年，我们也曾考虑及此，并且也曾把我们的政策公开宣布过。然而，虽然如此，这次大战一起，英国即已代替我们，把印度宣布为交战国之一了。不但没去征求印度老百姓们的意见，抑且连中央议院以及各地方省政府事前都不曾知悉。似此情形，殊不易忍耐。因为，这即表示帝国主义政策之必将继续在印度施行。一九三九年九月中旬的时候，印度国民大会常务委员会即发表一项很长的申明书。在这申明书里，把我们过往的态度及目下的政策，明白宣称。并且，请英国明白宣布其战争目标，尤其关于帝国主义本身的问题，尤应有所说明。我们已经不断地反对着法西斯主义与纳粹主义了，但是，在我们国内称雄的帝国主义，尤与吾人之切身利益有关。帝国主义的政策行将取消吗？它承认了我们印度应该有权通过一种宪法大会而决定自己的国家形式这一事实吗？应该采取何种方式以实现一种大众掌握中央政权的计划呢？

英国政府的答复是明显的。他们拒绝明白宣布其战争目标，亦无意把中央的行政大权交于印度人民代表之手。旧秩序继续着，而且一定得继续下去。而英国的投资利益，亦不能不予以保障。于是，国民大会在各省政府的阁员们都辞职，因为我们不能协助英国进行此等战争。宪法于是中止实施，专制的统治再度建立。西方各国的古老的宪法斗争，又在印度出现了。这种宪法斗争，是一个民选议院与国王之间的斗争，从前曾因此在英国和法国杀了两个国王的头，现在这斗争又在现代的印度发生。

难关仍旧继续存在。此时，政府方面又颁布了很多禁令，国民大会的人士，又大批地被捕了。在我们的方面，痛恨的情绪高涨着，大家主张采取实际行动以反对。但是，战争开始后英国之节节失败，使我们迟疑不决，因为，我们忘不了甘地咭所给我们的教训，那是："勿乘人之危，勿作落井下石之举。"

四月来了，挪威沦亡。五月，荷兰与比利时陷落。六月，法国崩溃，那美丽的巴黎城，破碎了。法国不但败，而且，屈服了，投降了。我当时想，除非它本身业已腐至中心，不然，何以会一败涂地至于此极呢？是不是英法代表着一个行将过去的秩序，而因此不能支持呢？是不是给它们以力量的帝国主义，在这种性质的战争之中，使它们软弱的呢？英国本身如果否认自由，它即不能为自由而战，而它的帝国主义，亦必像法国一般的投向法西斯主义。在英国，张伯伦及其老政策的阴影，尚存在着。滇缅路，因为要绥靖日本，又封锁了。在我们印度，则一切如故，毫无改良之消息，仍认我们印度人，什么也不会做。英国政府之完全缺乏目光，不能了解世界新局势，不能使自己适应新环境，这，甚使我惊奇。即使可说英国政府对吾人之了解过缓，甚至于不能由经验而学习，然而，对于印度的政府，又如何说呢！

局势的发展，把新的课题，摆在国民大会常务委员会的面前。甘地咕请求委员会把使用已久的非暴力政策引申为一个独立国政权行使时之原则。一个自由的印度，必须靠此方法以与内部的混乱与外来的侵略斗争。不过，这个问题当时并不存在，而甘地咭本人脑子中却充满了这种理想，他觉得这是明白宣称的时候了。我们每个人都深信在我们的斗争之中，应该遵行这一个非暴力的政策。欧洲的战事，更加强了他们这种深信。但是去决定一个未来的国家政策，却是另一个问题，而且是一个困难的问题。

甘地咭自己感觉——也许是正确的罢——他不能放轻他对世界的使命。因此，甘地咭第一次开始走一条路，而国民大会常务委员会另走一条。不过，国民大会和他之间，并无破裂。因为，甘地咭和国民大会的关系，实在太深了，所以，无疑地对于国民大会他仍将要以各种方式当时给予指示，甚至还来领导。然而，由于他此次之离开，我们的民族运动的历史，确实也翻开了新的一页。

在过去几个星期中，国民大会在拉加哥派那查吕（C.Rajagopalachari）的主张之下，再向英国政府作再度的建议。拉加哥派那查吕，一向是被认为国民大会的右派人物。当国民大会组织省政府时，他即充任马德拉斯的总理。他很留心避免冲突，提出了一个建议，对于这个建议，他的一部分同事是踌躇着接受的。这建议内容是：英国政府承认印度之独立，马上组织临时国民政府（Provisional National Government）。这个政府，向目下的中央议院负责。如果能够如此做，则此新组织之政府，即可负起国防之责，协助此次战争。

国民大会的这个建议，是可以马上毫无困难地实现的。这个建议，不消说是非常温和的。以战争的观点而论，无论任何努力，均需要人民的信任与合作，此乃不易之理。只有一个国民的政府，才能获得此种人民之合作与信任，帝国主义的统治，是无法获得的。

可是，帝国主义的想法则不同，它梦想它还可以继续行使职权而威迫人民，服从己意。即使大难已临目前，它仍不愿获得人民的这种有力的实际援助，如果它因此必须停止对印度政治的和经济的统治的话。它甚至对于在印度或帝国其他部分做了正确之事而必然获得的道德上的威望，也不予顾及了。

今日，一九四〇年八月八日，我正写着此文，印度总督把英国政府的回答送给我们了。这回答，其文章形式，还是老的一套，充满了帝国主义的气色，而内容方面，也与从前一样，毫无变动。我的很多同事，又到狱中去了，我有一点儿妒忌他们。也许，在狱中的寂寞生活之中，倒比在这样一个充满了法西斯主义以及帝国主义的疯狂世界之内，更易于发展一种有系统的人生感想罢！不过，对于这一世界，有时也可以暂时逃避的。上月，我在离开了二十三年以后，又到喀什米尔去。我在那里，只住了十二天，然而，这十二天却是充满了美的时光，我饱醉这块迷人境地的可爱山色。我在各山谷到处漫游，也攀登高山冰河，而大觉此种人生之可贵。

尾声　分道扬镳

如果说，在印度已经有某些事体发生，其结果所届，招致了英国与印度之分道扬镳，这是一种不正确的说法。因为我们的路，本不相同。只要英国在印度称雄一日，印度人民仍为其臣属人民一日，则彼此之间，其所遵行之路线，亦必背道而驰，无法合道。这种关系的基础，是一种压迫威胁。胁迫，是无法使人手携手地共同前进的。它的可能结果只有二端，其一，是称雄的用铁链把臣服的拖着向前走；另一，是这条铁链之被打断。

我们的路，其结果是，本是方向各异的，多年的难胜难决之战，有时，这种冲突只是心理上的或口头上的，有时，则出于革命行动。一八五七年的时候，曾爆发而成为一次革命反叛，结果被残酷地压止了。此种斗争却并未因而灭亡，却不断地继存下来。不过，在表面上不十分看得出来罢了。民族运动之形成，又是这一冲突的另一表现，当其开始之初，态度极为温和，时间一久，就渐渐更多地代表了人民的真正感情，气势日盛了。于是，促成了另一次革命反叛，那是不合作运动，它不使用暴力，但却较前此任何一次为有力而普遍。全印数万万人民，忍受多年之压迫、剥削与贫困之后，毅然正面地对着称雄于印度的帝国主义，起而要求自由了。

这数万万人民，曾历尽坎坷，饱尝辛苦。然而，他们却誓不反顾，一往直前。这种斗争继续着，而同时，世界亦渐走进自毁自灭之深渊。于是乎，印度之问题，便也成为国际问题之一部分了。虽然我们的眼光放大，然而，我们的问题，基本上还是印度的民族主义反对英帝国主义的问题。我们如欲对更大的世界有所供献，则最初一步仍须先获得我们之自由与独立。进一步言之，即使在这一个更大的世界之中，如仍容忍帝国主义之存在，而侈谈自由与民主政治，不啻开玩笑而已。

我们是反对纳粹主义与法西斯主义的，中欧各国的恐怖，在印度产生了一种有力的反应。但是，我们仍记得（我们如何能够忘记呢？）在印度所目击的恐怖，我们仍亲见亲受对我们民族的日复一日的侮辱与剥削。我们实在不能聪明伶俐到这样一步，认为：法西斯主义与纳粹主义确实坏透顶了，帝国主义到底总好一点。

战争已来到印度，同时，我们发觉印度已被人代为宣布为交战国的一部分了，并未正式与任何人民代表商量过。即使国民大会可被认为非官方的组织，然而，在印度还有中央议院，还有各省省政府，这些省政府，据说是享受有省自权的哩！这些机构，没有一个知道此事，更未曾被询问意见。

祈祷“自由”，宣称“民主政治之神圣”之声，甚嚣尘上。这听起来是十分好听的。不过，从前我们对此，实在已经听得太惯了，它的结果也经验不少了。我们现在是不易于一哄而前了，我们已经变得十分小心谨慎，尤其当此次战争不顾吾人之屡次警告而竟加之于吾人身上，其来也如此，尤使吾人加倍小心谨慎。这些“自由”，“民主政治”，是不是也为了我们呢？或者，只是为了那些生活在欧洲及其延长部分的选民呢？是不是说帝国主义政策即将在印度或别的地方一律取消呢？

我们曾询问英国政府，请让我们明白了解，俾得以认清自己必须如何从事工作。我们的询问，被认为是不切要领的，是不适时的。所得的答复，清楚地向我们指出，英国实无结束在印度之帝国主义的意向，就他们而论，亦无此可能。把政权转交于人民代表之手中，尤在问题之外。国民大会，并不替自己有所要求。它并不要求高的职位，这些东西，它不必要求亦能获得。它所要求的，是宣布印度独立，由民选代表，组织宪法会议，以决定自由印度之宪法，此自由印度，有充分之力量保障大多数人之利益。

在印度人民之心中，有着一种矛盾。我们深深地痛恨纳粹主义与法西斯主义，不愿见其获得胜利。只要印度人能真信此次战争之目的确在于建立新的世界秩序，保障真的自由，则印度人民即将竭其全力以赴之。但是，帝国主义和我们，是老友，是历数世纪的多年老友。我们彼此认识，彼此怀疑，也彼此痛恨。在印度的背景，是：一百八十年来的仇恨，压迫，痛苦，不履行的诺言，破坏性的与反动的运动之助长鼓励，分裂印度民族统一的企图。在印度，我们有着很多难于克服的障碍与错综复杂的问题，这是实情。但是，我们说过，我们一定会克服它们，不过，如果没有一种足以改变印度空气，振兴印度人民之心的令人喜悦的冲激力，则即使是克服的企图，我们亦不可能怀抱。这一种令人喜悦的冲激力，只能由宣布印度独立而来，并且马上必须采取有效步骤使人民能推行其本身利益之行政。如果不这样，则遍求全印，无一人，无一党可以使印度人民毅然走上战争之途。

现代的战争，必须有人民之拥护，即使那些全能国家，也不得不以不断的宣传获致其人民大众的拥护。只靠职业军队，在人民的恶意或冷淡的空气中，即无法有效地从事战争。所以，即使只由组织印度国防，发动印度参战的窄隘观点而论，一个平民代表的政府，亦为必需之物。帝国主义的政策能够胁迫人民，但是，它不能争取普遍的赞助和好意。

总督与英国政府，均曰不然，于是，吾人之道路乃似乎十分明显矣。各省的国民大会政府乃全体辞职，在这些省份之中的议院政府，于是结束。因为，他们不能违反他们所代表的人民之公意而屈服于英国政府。这是国王与议院的老斗争，现在以新形式而出现于印度了；

总督与政府，代表国王的不认可权，我们那些被选出来的议院，则代表民意。在美洲，从前一群高傲而酷爱和平的人民，坚决地反对其辽远的国王之权威，终于在多年的斗争之后，建立了他们自己的自由了。

但是，在印度，现在是二十世纪，是在那个被人承诺了的新秩序即将到来之前夜，在高声宣布保护自由与民主之声中，印度在各省所实行的这种议院政府制度，竟予以停止了。总督的权力，至高无上；他可以制定法律，亦有权否定法律；可以不必对任何民意代表磋商而直接课人民以重税，胁迫人民。

国民大会各阁员，虽有着在议院中的大多数之拥护，终于辞职了，这是真的。他们因为不能接受总督的上谕及英政府之政策而辞职了。然而，议院部依然存在。总督与各省省长，本可以把它解散而另行选举，但是，他们很清楚，这种再选举的结果，亦必是大多数地对业已辞职的国民大会政府之拥护。不可能选出别的内阁来，因为并无大多数的投票。因此，唯一的途经，是让各议院中止，不必另行选举，而由总督与省长执行迭克推多的权力。这种斗争情形是很明显，一方面是人民和议院，一方面是国王的代表们。我们常时听到关于权能主义以及迭克推多的事实，听到英国以最痛恨最有力的言词大骂他们。然而，今日在印度，我们便看见一个血腥的迭克推多政体和权能主义。

我们的道路很清楚了。虽然我们自己人中，有很多向我们表示不满，大发脾气；虽然我们很多同事因为向自己的人民解释我们的政策而被捕入狱，但是我们却竭力抑制自己，我们何以如此躇踌呢？因为我们希望有着进步人士和工党分子的英国政府，或可改变其态度，放弃它那濒于死亡的帝国主义政策。我们不曾以任何方式鼓励纳粹之猖獗；想起纳粹统治者之一旦统治欧洲或别的地方，是令人痛心的事。我们已惯于臣服生活的印度人，是深知其中苦味的。我们不能容忍纳粹的那种种族理论和种族压迫。比利时与荷兰的恐怖以及法兰西的大悲剧，深深地使我们动心。英国的迫切危机，使我们感觉到不能作落井下石之举，以增加其困难。虽然英国的统治阶级可以虐待我们，英国的帝国主义政策可以粉碎我们，然而，我们对于英国老百姓，却不能怀抱恶意，他们现在正面对着危机和极端的危险。我们坚苦地想设法觅致光荣之路，既有益于自己，亦有益于英国。我们提出建议，甚至越逾了我们前次国民大会兰木加尔会议（Ramgar Congress）所决定的指示，向政府让步。我们发誓愿意组织印度国防以协助战争。但是，我们只能在数万万印度人民的好意与合作之下以自由民族之资格为之。这种自由必须予以宣布，而临时的国民政府必须组织，这种政府，不但只代表一党一派，而是代表着国内各种不同的重要分子。这个建议的基础，是必须对帝国主义机构之取消，予以承认。

总督与英国政府，向我们及全印度说出了最后的一个“不”字了。当法国屈服的前夜，英国政府竟不正常到提出合并英法的建议来。这是一个令人惊奇的建议。可惜为时已晚。然而，它说明了英国政府当势在必要之时，是可能走出他们一向所遵循的轨道而出此一举的。但是，在和他们自己的利益有关的地方，如印度，他们则仍在那轨道之内做事。即使战争之危，已等燃眉，他们仍不肯走出一步。甚至于在此战争中所有的明显利益，亦不能使他们放弃帝国主义政策所赋予他们的特殊地位。他们目下仍大谈着自己的帝国及其保持帝国的企图等等。说话之际，他们也许完全忘了他们听去很好听的字眼，在我们听来，却是我们的臣服，衰颓与贫困等等的化身啊！

我得重复一句，说我们与英国之间，正有新的分道扬镳，是不正确的。因为，我们的“道”，从来就是“分”的，没有“同”过。不过，英国的这种宣布，确把那联系着我们彼此之心的弱小连结线，最后打断了；结束我们“或可携手前进”的希望了。我甚觉不乐，因为我虽然痛恨英帝国主义和一切帝国主义，然而，我却很喜欢英国的事物，而愿意在印度与英国之间，有着一种精神上的联系。这种联系，仅能在自由之中存在。我当然为了印度之故而要求自由，但也为了英国之故而要求它。希望已碎，命运似已决定我们必须有不同的将来了。合作之路，已不可能；百年之大仇仍在，仍将在未来的冲突之中生长，而它所发出的枝叶，当发出之时，必将仍属于仇恨，而非友谊。

我曾听说，因我们沉寂已久，故所以英国政府已深信我们必将驯伏地服从其命令。我们的努力抑制自己，使他们相信我们已无力行动了。在今日这样的世界中，充满了武力，充满了飞机，坦克，以及武装队伍，我们是多么无力的呢？但是，也许即使就在这样一个充满了武装的世界之中，仍然有着一种东西，这叫人类之精神，一个民族之精神，这东西既非可以忽视之物，亦非软弱无力之物，而且，除非自己想要冒险，不然，是不可以忽视的。

英国政府的回答，对于密切地与印度政治保持着接触的我们，是毋庸分析，不必说明，清爽得很了。但是，也许还有一部分人看不出它的重要之点来，由于其辞句之巧妙使用，会误认以为其中仍有可贵之物，印度人民真可获得政府中之权力罢。

它计划着，在总督的行政会议（Executive Council）中，增加一些非官方的印度人士。这个会议，并非真的执行机构，也不是内阁，而是一种咨询机关。真正的权力，在总督手中，总督常时是并不以会议人员为心腹的。向总督进献关于各种特别部门之意见的，是各部的部长。而一切政策，则源出于总督。在事实上，他是负责之人，他向英国议院内的印度事务部负责。只要这个老机构继续存在，则不管把多少人或把谁加入那个行政会议中去，其结果仍然毫无二致。因为，他们对于总督的地位，权力，权威，除非能够以说服之力去影响他，不然，他们毫无力量使之变动。

即使舍此不谈，新非官方人士之加入，也不能使行政会议有重要的不同；其中大多数仍属于那些指派的分子。而他们在事实上是百分之百地代表着帝国主义的官僚型的人们。他们的地位，完全依靠于总督之青睐。他们是必须向他奉承的。他们完全与人民生活，思想以及活动隔离，而生活于他们自己的一个官僚世界之内。他们所有的能力，是足以用之于推行一个老的警察国家的机构。他们远离现代世界及其问题，并且，完全不能了解它们。他们是属于一个已在别的地方成为过去而在印度亦将死亡的旧秩序里的人。

再呢，这些可以被委充行政会议之委员的那些“代表印人”（Representative Indians）亦必将由各种奇怪的团体之中选出，有的简直属于反动集团。他们甚至完全不能代表印度的前进人士，而在行政会议之中，他们必将各自采取中立态度，甚至把情形弄得更坏。他们将不出自民选，亦必不向人民负责。他们势将为印度总督所选拔。

很明显的，就任何一种民族的观点而论，或就转移于人民之手之权的观点而论，在总督的行政会议中加上这几个印度人，倒还是没有好一点。

第二个建议，是组织“军事参议会”（War Advisory Council），其中包括很多奇怪的人物，有着那些半封建的印度王国代表。这参议会亦将不时开会，开会之时，不过去聆听教训而已。他们将无何种执行权力，不过成为一种无关系要的摆样货色而已。

这就是目下的两个建议，一如总督所暗示得清清楚楚的，英国政府毫无意将行政之权转移于印度人民之手。更进一步的，是印度事务大臣所说的，当他指到“印度的民族生活之主要分子”时，他是包括着欧洲人在印度的投资利益的。也许，阿美利先生（Mr.Amery）[1]和印度总督所怀抱着的印度民族生活的概念，是一个主要为英国投资利益、印度的封建王公、大地主、分区自治主义者以及其他反动者所组成的概念。照他们的看法，这些才是我们印度的民族生活之主要成分，才值得保

[1] 现任英国印缅事务大臣。

护，才值得代表。其余三四万万的印度人民，他们劳动着，饿着，然而，不过是一些无用赘物而已。

在现在，或者，在战争继续着的时期内，我们梦中的黄金的将来，那个已经听得烂熟了的自由的新秩序，是如此地看的：在战争结束以后，“一个代表印度民族生活的主要分子的代表机构”，即将组织，俾得计划新宪法之制定。在阿美利先生及总督的话里，我们已经知道这些民族生活的主要分子是些什么人了。将来我们一定会看见很多佩金戴玉的土藩国大君，束带武士，欧洲的产业及商业巨擘，大地主，收税区主，印度的产业资本家，英帝国各机关的代表，少数普通人士，济济一堂，共同地起草印度宪法，也许，主席便是总督先生。印度即将如此地实施其民族自决权。这个集会的出产品，一定是张很好看的图样，绣着一朵美丽的花，代表着各种投资利益和封建遗物，而其图样背景，则是大英帝国主义。最要者，对于英国投资利益，因其为印度民族的生活之主要部分，必须着上强烈的色彩，以示重要。我们必将呼此为“自治领地位”，俾得皆大欢喜。

但是，有一事必须记牢：即使是这样一个集会，也还不能畅所欲为。英国无论如何，决不能失掉它保护英国投资利益的责任，所以，不管这个会议可能作何种决定，其批准之权，亦必待诸英国国王。

我们国民大会，则敢于作另一建议，说，印度宪法，应该由民选的宪法大会草拟。这建议，不幸是属于一种民主思想的，对任何个人，均一视同仁。真的，这样一来，总督与印度事务大臣所想的那些“印度民族生活的主要分子”们，是难于被选了。民主的选举，对于这些主要分子们，和对于那些英国的以及印度的投资利益的人们一样，往往是对不起得很。

总督更进一步说道：“不消说，他们（英国政府）为了印度的和平与幸福，不能计划把政权移于任何一种政府组织之手，这种政府的权威如为有力而广大的印度民族生活的主要分子所反对，他们也不能参加任何一种胁迫以图使这些分子屈服于这样一个政府。”

这种说话，颇有予以详尽考虑之价值。很明显的，无论任何一种为印度而设计的政府组织，必将遭遇到很多奇怪的集团与利益之反对。谁也无法设计出一个组织，既可以使这些集团与利益赞成，又能得四万万印度人民之同意。每一个土地的立法，不能不去对付地主与佃农之间的冲突；每一个劳动的立法，必被印度产业首脑所不赞成。甚至只就工业家的范围而论，英国的投资利益与新兴的印度工业利益之间，因前者阻碍后者之发展，彼此之间，也一定有着冲突。这样，在印度民族生活之中，有着不少的利益冲突存在着。因为，在事实上有着不少不同利益的阶级存在着之故。我们中有很多人都想有一个无阶级的社会，我也深信这一天终必到来。同时，解决这种冲突的唯一的已知方法，不是使用武力和胁迫，乃是民主的方法。如果有任何一集团，阻止了政治的，经济的变革，即使这为大多数人所希望，亦必引导到国家破坏，可能还招致内部的战争。

英国政府的这种说法，意思是说：因为有某一集团一定要反对，所以，不能作远见的政治的或经济的改革。即使没有印度的集团来反对，英国的投资利益亦必如此做。何况印度有着很多反动集团，他们自会前来服务；亦即是说，为了英国帝国主义之利益起见，现状务须维持。这就是保留目下秩序使印度不致危及英国投资利益的方法。

至于说希望英国出来共同胁迫某些分子的说法，尤为可笑。没有谁会作如此暗示，除非是那些想来胁迫进步分子的反动集团或分区自治派。反之，我们要求英国政府的，是停止一切胁迫，从印度隐退，不复成为一个政府。到这个时候，印度才会产生一些条件，足以使印度的各种分子，在他们之间，自求妥协和解之道，因为，否则即须从事内战矣。只要英国政府存在一日，它必促弄吾人互相冲突，并能使一部分人存某种不良之念，投其所好，反对自己之国人而奉承之。

英国政府说，他们不胁迫某一集团使其赞成它所不喜欢之政府组织，但是，同时，他必已胁迫那需要这种政府组织的另一集团了。在印度，英国政府的活动究曾如何，而现在又如何呢？那是胁迫整个的印度人民，胁迫每一个集团而保持自己的地位。那是压迫印度的工业以利英国的工业。那是维持一个专于胁迫印度人民的军队。那是胁迫各土藩国国内的人民以维持王公之地位。告诉我们说，英国不愿用胁迫手段，这是稀奇古怪的。然则，他们在印度用的是些什么手段呢？

再者，说主要的一群人并不需要一个特殊的政府组织，这成什么话呢？普通情形，这一群人投票，别的很多群人也投票，这时，便可能知道各种不同的各群人的意志如何，感情如何？他们可以找寻某种公共的妥协方法，否则，很不幸的，他们不如此，于是，冲突乃发生。

英国政府的建议，恰好理想地阻止了任何进步，任何变革。甚至英国利益亦将拦路。事实上，政府老早更进一步地说过，无论如何，他们必不放弃保护这些利益的责任。不管天倒地倾，这种利益总得永存；这样一来，也不管天倒地倾，英国的财政的，工业的机构总得继续称雄于印度。碰巧，这情形正是我们印度人所必须驱除的。我们不能达此目的，则印度之贫困不舒，亦必不能进步。此外的一切，乃是次要之事。

也许有人说，总督的所说不胁迫任何广大数目的不赞成某一政府组织的分子这话，主要是用之于宗教上的少数。当然，我们一定同意在这方面必无此种胁迫之可言，而英国政府亦毫无理由可以如此。别的人也无理出此。那末，这所谓胁迫从何而来呢？是谁暗示的呢？

国民大会的建议，并不是主张将权交与国民大会或交与某党某派，或交与某一宗教集团。它所要求的，是把权力交与印度全体人民，由人民，以民主之方式决定其所需要之物为何如。它更进一步，是要保护少数民族的利益。它主张对于这些少数民族，应予以独立的选举区域。他们的问题，不应以多数票决之方式解决。这些问题之解决，应出以同意之和解，如果不幸，对于某一特殊问题无法谋取和解，则只好出以公平之裁判。

如就印度回族而论，他们可说是一个少数民族。他们在数目上十分多，在其他很多方面，十分强有力，他们之不可被人胁迫，一如印度教之不可被人胁迫一样，乃彰明显著之事。如果此二集团彼此不能和解，实乃印度之不幸，无人能知其伊于胡底？不过，让我们记清楚，在政治的和经济的问题上，人们并不如在宗教问题上那样行动的。此间区别甚大。

真正的少数民族保护问题，实发生于既非回教徒亦非印度教徒之人群中。一个印度人，不管是印度教徒也好，回教徒也好，塞克教徒也好，基督教徒也好，有着其他宗教信仰的什么徒也好，竟至于到异族的身上去找觅保护以免被害于自己之国人，在我看来，确是大可惊奇之事。事实上，这种情形并没有。除非很少数的分子，他们之如此做，并非由于宗教的信仰问题，实由于投资利益问题。

此事让我们弄个清楚。分区自治的问题，基本上说，是投资利益之保护问题。宗教者，不过是用作掩护之物而已。那些拥有封建利益和投资利益的人们，惧怕大革新，乃成为帝国主义营垒之追随者。在另一方面，英国帝国主义亦乐于利用这种分区自治的理论以否认自由，民主，以及任何其他变革，而得以保持在印度的势力与特权。如果说——如前面曾经提到的印度王公乃英国在印度之“第五纵队”，则分区自治主义者及其战友，盖亦未尝不可列入“第五纵队”之内。因此，诸王公与分区自治派之能和好无间，共同合作，确非怪事。他们有一共同工作须做——即阻挠印度之自由，俾使投资利益得以发展。

当然，虽说这是一种基本的观察，但是，如果仅以这样的简单分析而处理分区自治主义一问题，那是不够的。此外还有很多因子。大众分子之可被分区自治主义影响者，他们既无投资利益可资保护，亦不喜欢帝国主义，这是实情。要去了解他们之何以会被分区自治主义所影响而竟亦当时作违反自己本身利益之行动，即等于了解希特拉之何以能在德国人民之中给群众以影响。这种分析并不完全，但却很有助于了解此一问题。民众们被他们所喜欢的口号所迷，接着，便被利用而从事其他另一目的完全不同的工作去了。在印度的分区自治主义最近的发展，和纳粹的手段，在技术上，实在大有相似之处。

分区自治主义，在最初的时候，是一种对于立法议员的代表之类的要求。而现在呢，却发展成为一个公开地反民族的，反民主的运动了，它主张着印度之分裂。中世纪那种宗教集团的学说，造就了一种政治上的分区，在欧洲进步的民族主义运动成长之前，它崩溃了。然而，这时又在印度复活。一种与十字军相同的理想，基督教国对回教的理想，忽然在印度出现了（据说由于英国的鼓励）。这是一个令人惊奇的倒退。不管谁会因之得益，或谁会因之受害，这些事，慢点去说，首先得到利益的，是英帝国主义，这是很明显的。

说来是奇怪的，甚至在早年的和中世纪的印度，这种思想也并未如欧洲那样作用过。别的宗教被欢迎了，被收容了。一世纪的时候，早年的基督教徒进来，马上找到了一个家。犹太人们，也被收容了，回教徒也被欢迎前来宣传他们的教义，并且坐下来，怕西教徒来了，也被吸入。后来，回教徒的领袖，主张建立一个单独的国家以容纳新来的回教徒和印度教以及其他。这基础是伟大的阿克巴尔(Akbar)奠下的。新的文化因素被吸收，于是，一种共同文化乃得发展，特别在印度北部，尤为如此。

而现在呢，我们听说，要回到阿克巴尔之前的年代去了，要反复历史的过程了，要以中世纪主义来思考了。正当民族主义要进一步地让位于国际主义之此时，我们印度来了一个比民族主义还要窄狭得多的教条了！而这东西，竟为英国政府所赞成，所保护哩！正当全世界走向一个真正的各民族大联合之今日，有人竟提议，印度应该分裂为很多不同的部分了！

回教国家——土尔其，埃及，伊拉克，叙利亚，波斯等等都老早抛弃这一个中世纪的学说了。他们都是热烈的民族主义者，把自国的中古文化引以自傲。他们之中，有的人处心积虑地走回到“前回教的”(Pre-

Islamic）时代去，目的在于找寻文化的鼓舞。中国的回教徒，把中国的文化引以自傲，同时，正为着中国之自由而战斗，这才是历史的必然进程。真的，这是一个已经走过了的历史进程，而一种强有力的大革命，今日正在全世界发生着，这种革命行将奠下另一个历史进程之基础——向一个世界大联邦走去，这一个大联邦的基础，是民族的自由，是一个更公正的经济体系。特权以及投资利益，都将铲除。

这就是印度的最终目标——一个统一的，自由的，民主的国家，与别的自由民族一道，密切地联系在一个世界大联邦之内。我们要独立，但是，并非那古老的窄狭型，那种排外的独立。我们相信，分离的，敌对的，民族国家之时代，业已成为过去了。

我们要的是独立，不是自治领地位，更非其他的什么地位。只要是能够思考的人，都知道：自治领地位这一概念，已属于过去的历史；它并无前途。在此次战争之后，它不能再存在，不管这次战争之结果何如。而且，不管它将来存在不存在，总之，我们不要它。我们不愿意被系在一群国家之下，而这些国家曾经剥削我们，压迫我们；我们不愿意加入一个帝国，在这个帝国的某些部分，我们被以奴隶之资格对待，而这些地方，种族主义的思想霸占一切。我们要由伦敦城的财政从属地位离开。我们要完全的自由，无保留，无例外，除非这些保留、例外是我们自己和别的人共同地同意的，其目的在于加入一个民族联盟（Ferderation of Nations），或者说，一个新的秩序。如果这样一个新的秩序或这样一个民族联盟在最近的将来尚不能出现，我们却宁可与我们的邻居好友——中国，缅甸，荷兰，阿富汗，波斯等密切联系。我们准备冒险，准备面对危险。我们实在不要所谓英国陆军或海军的保护。我们将自己处理自己。

如果说“过去”不能在此作证，而“现在”则实已使我们得到了如此之决定。因为，即使正当此危机之时，英帝国主义仍无若何态度上的改变。好罢，让那些想寻求帝国主义之恩惠与保障的人们，走他们自己的路。我们呢，走我们自己的。分道扬镳之时，业已来到！

尼赫鲁

一九四〇年八月十日于阿拉哈巴德

三联经典文库第二辑简目

《游击战教程》　明凡 / 著

《游击战术纲要》　陶剑青 / 编著

《汪精卫卖国的理论与实践》　钱俊瑞 / 著

《抗战以来》　韬奋 / 著

《陕行纪实》　楚云 / 著

《随军散记》　沙汀 / 著

《被日寇囚系半载记》　王研石 / 著

《倭营历险记》　房沧浪 / 著

《活跃的新西北》　田影 / 编著

《保卫华北的游击战》　刘清扬　陈北鸥等 / 著

《徐州突围》　《徐州突围》编委会 / 编

《沦亡的平津》　长江　小方等 / 著

《淞沪火线上》　胡兰畦等 / 著

《瞻回东战场》　长江　罗平 / 著

《东线的撤退》　胡兰畦等 / 著

《抗战中的西北》　徐盈 / 著

《鲁闽风云》　徐盈等 / 著

《西线生活》　西北战地服务团集体创作

《中国解放区见闻》　［美］福尔曼著 / 朱进译

《全面抗战论》　潘汉年 / 著

《日本的间谍》　范士白自述 / 尊闻译

《日本大陆政策的真面目》　国难资料编辑社 / 编

《民众动员论》　李公朴 / 著

《中国外交史》　钱亦石 / 编著

《太平洋军事地理》　蒋震华 / 著

《世界经济地理讲话》　思慕 / 著

《列强军力论》　［德］马克斯·威纳尔著 / 宾符　仲持　梅益等译

《近代国际关系史》　张铁生 / 著

《太平洋现势手册》　沈志远　石啸冲 / 编著

《近代世界政治史》　钱亦石 / 著

《从战争到和平——一九四五年的世界政治》　乔木 / 著

《战后日本问题》　思慕 / 著

《最近一年间的国际动态（1946.7–1947.6）》　《东北日报》社 / 编

《论政党》　翟放 / 著

《法与宪法》　韩幽桐 / 编著

《中华民国宪法刍议》　罗家衡 / 著

《民主·宪法·人权——作之民》　费孝通 / 著

《宪法论初步》　潘念之 / 著

《对反民主的抗争》　韬奋 / 著

《农村改进的理论与实际》　江恒源 / 著

《上海产业与上海职工》（上下）　朱邦兴　胡林阁　徐声／合编

《陶行知教育论文选辑》　陶行知著／方与严编

《中国通货膨胀论》　杨培新／著

《中国及其未完成的革命》　H·普拉特著／蒋天佐译

《中国的建设问题与人的训练》　卢作孚／著

《论中国特殊性及其他》　艾思奇／著

《中国经济问题讲话》　钱俊瑞　徐雪寒　王渔邨　姜君辰　骆耕漠／合著

《中国经济的道路》　许涤新／著

《中国财政之病态及其批判》　孙怀仁／著

《官僚资本论》　许涤新／著

《五四运动之史的评价》　陈端志／著

《中国通史简编》（上下）　中国历史研究会　范文澜／主编

《论文学的工农兵方向——读〈在延安文艺座谈会上的讲话〉》　雪苇／著

《中国近代史（上编　第一分册）》　武波／编著

《文学百题》　傅东华／编

《中国史学之进化》　周谷城／著

《论民族形式问题》　胡风／著

《论批评》　荃麟等／著

《中国史纲》（第一卷上下、第二卷上下）　翦伯赞／著

《近代中国思想学说史》（1-4）　侯外庐／著

《中国政治思想史》（上下）　　吕振羽 / 著

《中国哲学史纲要》　　向林冰 / 著

《中国政治史讲话》　　钱亦石 / 著

《中国社会经济史纲》　　王渔邨 / 著

《新财政学大纲》　　千家驹 / 著

《太平天国革命运动论文集——金田起义百周年纪念》

华北大学历史研究室 / 编

《理性与自由——文化思想批评论文集》　　胡绳 / 著

《战斗者的诗人》　　黄药眠 / 著

《国语文法》　　曹朴 / 著

《教育哲学》　　张栗原 / 著

《妇女问题讲话》　　杜君慧 / 著

《婚姻·子女·继承》　　沙千里 / 著

《性教育新论》　　布士克　雅各生合著 / 董秋斯译

《狱中杂感》　　杜重远 / 著

《七人之狱》　　沙千里 / 著

《爱迪生传》　　伍况甫 / 译

《歌德自传》（上下）　　歌德著 / 思慕译

《尼赫鲁自传》　　［印度］尼赫鲁著 / 毕来译

《列宁传》　　［苏］凯尔任采夫著 / 企程　朔望译

《罗斯福总统传》　　C. Mackenzie 著 / 张尚之译

《托尔斯泰传》（1–3）　　［英］阿尔麦·莫德著 / 徐迟译

《革命文豪高尔基》　［美］亚历山大·康恩著 / 韬奋编译

《鲁迅纪念特辑》　新中国文艺社 / 编

《回忆鲁迅先生》　萧红 / 著

《人民文豪鲁迅》　平心 / 著

《亡友鲁迅印象记》　许寿裳 / 著

《鲁迅思想研究》　何干之 / 著

《鲁迅研究》　夏征农 / 编

《过来的时代：鲁迅论及其他》　雪峰 / 著

《电影戏剧表演术》　洪深 / 著

《日常心理漫谈》　［美］约瑟夫·查斯特罗著 / 曾宝施译

《心理常识漫话》　朱智贤　杨云美 / 著

《读书的方法与经验》　王任叔 / 著

《美国黑人生活纪实》　［美］加德维尔　斯坦倍克著 / 董秋斯译

《初访美国》　费孝通 / 著

《事业与成功》　［美］马尔腾著 / 汪原放译

《萍踪寄语（初集）》　韬奋 / 著

《一生的幸福前途——〈生活周刊〉信箱选集》　生活书店 / 编选

《深刻的印象》　生活周刊社 / 编

《海外的感受》　生活书店编译所 / 编